長い時間をかけて
わたしに小説の書き方を教えてくれた三人の教師、
シルビア・クラーク、イブ・ウィルソン、そしてアイリス・キャノンに。
その著作がわたしの個人教授役をはたしてくれた四人の作家、
スティーブン・ギャラガー、ティム・パワーズ、ジョナサン・キャロル、
そしてデイビッド・マレルに。

以下の方々(かたがた)にも感謝の念を――
わたしを力づけてくれたマークとキャット・ディモック、
アマゾンに本シリーズの第一作の書評を書き、
わたしを気分よく仕事に向かわせてくれたステラ・ホワイト、
ミシェル・フライ、スコット・フレイザー、A・キンソン、クリス・チョーク、
スーザン・ベルチャー、L・M・カウアン、L・ヘイ、
スチュアート・ベントレー、マンディ・ノーラン、D・J・マン、
その他大勢の方々(かたがた)。
なにかにつけてお世話になった
マクミラン社のジョアン・オーウェン、ドミニク・キングストン。
ありがとう、みなさん。

ヤング・シャーロック・ホームズ2

赤い吸血ヒル

編集部より

本作品は一八六〇年代後半の世界を舞台にしたフィクションです。一部の描写に現在の観念からすると不快な思いをされる方がいらっしゃるかもしれませんが、当時の風俗や社会思想を背景にした作品であることをご理解ください。

プロローグ

その巨大なヒルをはじめて見たとき、ジェイムズ・ヒレイジャーは幻にちがいないと思った。

ボルネオのジャングルはサウナのなかを歩きまわっているかのようにむし暑い。服はじっとりと湿っている。湿気のために汗は乾かず、指先や鼻からしたたり落ちるか、服にしみこむかする。ブーツのなかはびしょ濡れで、歩くたびにピチャピチャ音がする。この調子でいけば、すぐに革がだめになってしまう。こんなにみじめで不快な思いをしたことはない。

暑さで頭がくらくらする。何日もまともな食事をとっていない。幻が見えるのは脱水症状のせいだろう。まわりの木からときどきヒソヒソ話が聞こえてくる。みんなにあざ笑われているような気がする。風が葉を揺らしている音だということはわかっている。それでも腹が立つ。黙らないと撃ち殺すぞとどなりたくなる。

奇妙な生き物はもう何度も見ている。本物だったのかもしれないし、もしかしたら幻だったのかもしれない。球根のような大きな鼻をしたサル、親指サイズの赤とか青とかオレンジのカエル。人間の肩の高さしかない大人のゾウ。ブタに似ているが、鼻が長く、とがっていて、毛が真っ黒な動物もいた。どれが本物で、どれが妄想の産物なのかはわからない。

となりでウィル・ギムソンが足をとめ、ひざに手をあてて、湿った空気を深く吸いこんだ。

「少し休憩しよう。もうこれ以上は動けない」

ヒレイジャーは汗まみれのハンカチで額をぬぐった。幻覚を見るのは、熱帯病のせいかもしれない。ボルネオには得体の知れない病原菌がうじゃうじゃいる。数週間ジャングルをさまよっていた男が、全身腫れ物だらけになり、顔が骨からはがれそうになっていたという話を聞いたことがある。

ヒレイジャーはいらだたしげにまわりを見まわした。木にさえバカにされているような気がする。幹はねじれ、節くれだち、蔓が寄生虫のように巻きついている。木々は密生し、空はほとんど見えない。木もれ日は弱く、緑がかっている。

暑いのに、身震いがする。雇い主のデュークがあれほどおっかない男でなければ、こんなろくでもない場所に来ることはなかっただろう。

「今日はここまでにしよう」と、ヒレイジャーは言った。

こんなところに長居は無用だ。すぐに港に直行し、獲物(えもの)を持って文明世界へもどりたい。

「あれはここにはいない。だいじょうぶだよ。なにも手ぶらで帰るわけじゃない。もうすでにいろんなものをとったんだ。叱(しか)られはしないさ」

ギムソンは苦々(にがにが)しげな顔をしていた。

「そんなことはない。あれを持ってかえらなきゃ意味がない。逆に、あれさえ持ってかえれば、ほかはどうだっていいんだ」

言いかえそうとしたとき、ギムソンが大きな声を張りあげた。

「待て！　あれはなんだ」

ギムソンは腰(こし)をかがめたまま、木の根もとを見つめている。ヒレイジャーは前に進みでた。

「見ろ」

指さされたほうを見ると、二本の木のあいだの水たまりに、赤い血のかたまりのようなものが横たわっている。人間の手くらいの大きさで、木もれ日を浴びてヌラヌラ光っている。赤いヒルだ。

「まちがいないか」と、ヒレイジャーは聞いた。

「ああ。デュークから聞いていたとおりだ。色もかたちも」

「どうする」

ギムソンは答えるかわりに手をのばし、ヒルを親指と人さし指でつまみあげた。

ヒレイジャーは目をこらした。骨がなく、くねくねしている。

ギムソンはそれをひっくりかえした。

「まちがいない。ほら、これが口だ。吸盤（きゅうばん）みたいになっていて、三本の歯がついている。反対のはしにも、同じようなものがある。この両方で吸いつくんだ」

「そうやって血を吸うんだな」

「そう。近づいてきた動物にくっついて血を吸う」

さっきつまみあげたときは丸くなっていたが、見ているうちに、ヒルはかたちを変え、だんだん長細くなっていった。ギムソンの指はヒルの頭から三分の一ほどのところを指で押（お）さえている。

「デュークはいったいなにを考えているんだろう。どうしてこんなものを集めなきゃいけないんだろう」

「こいつらが呼ぶ声が聞こえると言ってるらしいぜ。それをどうするかなんて、おれたちの知ったことじゃないさ」

ギムソンはヒルにさらに顔を近づけ、しげしげと見つめた。ヒルは体をくねらせている。

「ずいぶん腹がへってるみたいだな」

「どうしてわかるんだい」

「おれに吸いつきたそうにしているからさ。このままじゃ死んでしまうかもしれない」

「どうする？　これは置いていって、あした別のをさがそうか」

できれば、そんなことはしたくない。これ以上ジャングルにはいたくない。

「一週間かかってようやく見つけたんだ」と、ギムソンは言った。「別のを見つけるとなると、どれだけ時間がかかるかわからない。これでいい。こいつを連れてかえろう」

「帰るまで持ちこたえてくれるかな」

ギムソンは肩をすくめた。

「たぶん。ここで血を吸わせてやりゃいいんだ」

「そりゃそうだ」

ヒレイジャーはまわりを見まわした。

「なにがいいかな。サル？　野ブタ？」

返事はかえってこない。

ふりかえると、ギムソンに見つめられていた。なんとなくいやな予感がする。

「袖をまくれ」

「なんだって？　冗談だろ」

「本気さ。おれは単に道案内をしてるだけだ。でも、おまえはちがう。おまえがここに送りこまれたのはなんのためだと思ってるんだ。さあ、袖をまくれ。こいつは血をほしがっている。ぐずぐずしていたら、手遅れになっちまう」

血を吸わせずにヒルを死なせたことがわかれば、デュークになんと言われるか。ヒレイジャーはゆっくりと袖をまくった。

⚜ 1 ⚜

「アリについて考えたことはあるかね」と、エイミアス・クロウは聞いた。

シャーロックは首をふった。

「いいえ。ピクニックへ行ったとき、ジャム・サンドイッチにたかられて、びっくりしたことがあります。そのとき以外は気にしたこともありません」

そこはサリー州の郊外(こうがい)で、首にあたっている太陽の光は痛いくらい強い。空中には花や刈(か)りたての牧草のにおいが充満(じゅうまん)している。

耳のそばをハチが通りすぎ、シャーロックは身を縮こまらせた。アリとちがって、ハチにはぎょっとさせられる。

クロウは笑った。

「イギリス人ときたら、すぐにジャム・サンドイッチだ。イギリスの食べ物はみな限りなく離乳食(りにゅうしょく)に近い。蒸したプディングとか、ジャム・サンドイッチとか。パンの耳は切りおとされている。野菜はゆですぎて、どろどろになっている。歯がなくても食べられるものばかりだ」

「アメリカの食事はそんなにおいしいんですか」

シャーロックは乾いた石壁の上にすわっていた。前方はなだらかな斜面になっていて、遠くのほうに川が流れているのが見える。

「ああ。たとえばステーキとか」

石壁は胸の高さまであり、クロウはそこにもたれかかっていた。服装はいつもと同じ白い麻のスーツで、つばの広い白い帽子をかぶって、日光が目にはいるのを防いでいる。

「焼き方がちがう。アメリカでは、表面がかりかりになるまで焼く。フランス人のように、ロウソクの火であぶるような焼き方はしない。もちろんクリーム・ブランデーソースをつけたりもしない。ステーキをじょうずに焼くのに、大司教の知恵がいるとは思わない。なのに、アメリカ以外の国ではどうしてその程度のこともできないのか不思議でならないよ」

クロウはため息をついた。いつもの陽気な表情が消え、急に悲しげな顔になった。

「故郷が恋しいのですか」と、シャーロックは聞いた。

「長く帰っていないからね。バージニアもそう思っている」

クロウの娘（むすめ）のバージニアが愛馬サンディアにまたがり、炎（ほのお）のような赤い髪（かみ）を後ろになびかせて走っている姿が頭に浮（う）かんだ。

「アメリカにはいつ帰る予定なんです」と、シャーロックは聞いた。

できれば、長くここにいてもらいたい。せっかく親しくなったのだ。おじとおばの家で暮らすようになっていちばんよかったのは、ふたりとここで知りあえたことなのだ。

クロウの顔に笑みがもどり、日焼けした顔にしわがひろがった。

「ここでの仕事がすんだら考えるよ。それに、わたしはきみの家庭教師だ。きみに教えなきゃならないことはまだたくさん残っている。さて、アリの話にもどろう」

シャーロックはため息をつき、いつもの即興（そっきょう）のレッスンにつきあうことにした。いつだってそうなのだが、そこがいなかであろうと町なかであろうと、あるいはだれかの家であろうと、クロウ先生はまわりにあるものをなんでも質問や課題の材料にしてしまう。

クロウは背中をのばし、後ろをふりかえった。

「たしかさっき見たはずだが」

それは少しあともどりしたところにあった。草むらの上に、乾（かわ）いた土が盛りあがっている。クロウ先生はいま思いついたような言い方をしたが、たぶんそんなことはない。それを見たときから、レッスンの材料に使おうと思っていたにちがいない。

シャーロックは石壁から飛びおりると、クロウが立っているところに歩いていった。土の山のまわりを小さな黒いアリがちょこまかと動きまわっている。

「アリ塚ですね」

「そのとおり。この下には、小さなトンネルが縦横にはりめぐらされている。その一角に、何千もの小さな白い卵がある。産んだのは一匹の女王アリだ。女王アリは日の光を見ることなく、一生を地下で過ごす」

クロウは地面にしゃがみこみ、シャーロックもそれにならった。

「アリたちがどんな動きをしているか見て、思いついたことを言ってみたまえ」

シャーロックはしばらくアリを観察した。二匹がそろって同じ方向に進むことはけっしてない。どのアリもひんぱんに方向を変えるが、これといった理由があるようには思えない。

「規則性はなさそうですね」と、シャーロックは答えた。「とすると、ぼくたちにはわからないなにかに反応しているということになります」

「最初のほうがあっているだろうね。それはさがし物を見つけるときに有効な〝酔っぱらい歩き〟と言われる歩き方だ。なにかをさがすとき、たいていの人間は一直線に歩くか、縦横に歩くか、地面を格子状に区切って、それをひとつひとつ調べていくかする。もちろん、それでもさがし物は見つかる。でも、より早く見つけるには、そのあたり一帯を不規則にうろうろと歩きまわったほうがいい。頭をふり、よろけながら歩く酔っぱらいと同じだ……まあいい。アリの話にもどろう。アリたちがお目あてのものを見つけたら、どんな行動をとるか見てみよう」

クロウは上着のポケットに手を突っこみ、そこからなにかをとりだした。陶製の容器で、ふたがわりに、ろう紙を紐でとめてある。

シャーロックが聞くまえに、クロウは言った。

「ハチ蜜だ。市場で買っておいたんだよ。きみがいやな思いをしなきゃいいんだが。このまえあんなことがあったばかりだからね」

「だいじょうぶです。それより、どうしてポケットにハチ蜜をいれて歩きまわっているんです」

クロウは笑いながら紐をほどき、ろう紙をはがした。

「どこでなにが役に立つかわからないからね。それとも、最初から準備をしていたということかな。どう受けとってもいい」

シャーロックはほほえんで、首をふった。

「ハチ蜜はほとんどが糖分でできている。アリは甘いものが大好きだ。見つけると、女王アリや子どもたちに食べさせるために巣に持ちかえる」

クロウは太陽の熱でやわらかくなったハチ蜜を指ですくいとった。それは指から垂れ、草にひっかかり、糸を引くようにゆっくりと地面に落ちていった。

「さて、アリがどうするか見てみよう」

アリはあいかわらず気まぐれに動いていた。草をはいあがっていくのもいれば、土くれのなかでうろうろしているのもいる。しばらくして、一匹のアリがハチ蜜のところにやってきて、それを横切ろうとし、だが途中で立ちどまった。足をとられて動けなくなったのかとシャーロックは思ったが、そうではなかった。アリはハチ蜜の上を歩きはじめ、それからそこに頭を突っこんだ。

「できるだけ多くのハチ蜜を体につけて、巣に持っていこうとしているんだよ」

アリはまっすぐ巣に向かうのではなく、やはり右に行ったり左に行ったりしていた。だが、数分後にはようやく乾いた土の山にたどりつき、そこにある穴のなかに消えた。

「このあとはどうなるんでしょう」と、シャーロックは聞いた。

「見ていてごらん」

十数匹のアリがもうすでにハチ蜜をあさっていた。ほかのアリたちも次々に集まってきている。何匹かはハチ蜜を持って巣のほうへ向かっていきつつある。

「なにか気づいたことは？」

シャーロックは前かがみになって、アリたちに顔を近づけた。

「巣へもどるまでの時間がだんだん早くなってきています」

しばらくすると、酔(よ)っぱらい歩きはまっすぐな行進に変わり、ハチ蜜(みつ)と巣のあいだには、アリが行き来する二本の平行線ができるようになった。

「そのとおり。では、ここで実験をしてみよう」

クロウはポケットに手をいれ、てのひらサイズの紙切れをとりだして、巣とハチ蜜(みつ)のあいだに置いた。アリは気にとめることもなく紙の上を横切りはじめた。

「彼(かれ)らはどうやってコミュニケーションをとっているんでしょう」と、シャーロックは聞いた。「ハチ蜜(みつ)がどこにあるかをどうやって仲間たちに伝えているんでしょう」

「そういったやりとりは、なにもしていない。外に食べ物があることは、それを巣に持ちかえったことで仲間たちに伝わる。でも、言葉を交わすことも、おたがいの心を読みあうこともない。あるいは、小さな足でさし示すこともない。もっと利口なやり方をしている。見ていなさい」

クロウは手をのばして、紙切れを右に九十度まわした。このとき紙の上にいたアリたちは、そのまままっすぐ進み、地面におりてから、とまどい、右往左往しはじめた。あとから紙の上にあがってきたアリたちは、半分ほど行ったところで右にまがり、地面におりると、そこでやはり右往左往している。

シャーロックは目をみはった。

「まるで決まった通り道があるようです。ぼくたちには見えないが、アリにはそれが見えるんですね。最初のアリたちが通り道をつくって、あとのアリたちはそのあとをたどっている。だから、紙をまわしても、行き先がちがっていることに気がつかないんですね」

クロウはうなずいた。

「そのとおり。なにがアリをそんなふうに動かしているのか。いちばん考えられるのは、なんらかの化学物質の存在だ。食物を運ぶときに、足からアニス油のような強いにおいのするものが出るのかもしれない。それで、別のアリはそのあとを追いかけるんだ。その結果、少しずつ通り道ができていく。紙切れをまわすと、アリたちはそれまでの通り道をたどり、巣までまっすぐには行けなくなるが、それはしばらくして修正される」

「すごいですね。知りませんでした。そこにあるのは知能じゃなくて、もっと本能的なものなんですね。アリは仲間たちとコミュニケーションをとっているわけじゃない。でも、彼(かれ)らは知的に見える」

「集団が個人より愚(おろ)かに見えることはよくある。人間もそうだ。ひとりひとりはまともでも、群れたら、ささいなことですぐに暴徒化する。でも、個人より集団のほうが、利口な行動をとることも少なくない。このアリの群れがいい例だ」

クロウは立ちあがり、ズボンの裾についた土を払い落とした。

「さて、そろそろお昼の時間だ。きみのおじさんとおばさんは、さまよえるアメリカ人のために席を用意してくれるだろうか」

「もちろん大歓迎だと思いますよ。でも、家政婦のエグランタインさんはどうかわかりません」

「だいじょうぶ。あの種の女性のあしらい方は得意なほうでね」

野原を通り、雑木林を横切りながら、クロウは食用キノコと毒キノコの見分け方を教えた。一週間前のレッスンの復習だ。それさえ覚えておけば、森のなかで迷子になってもしばらくは生きていける。

三十分もしないうちにホームズ荘が近づいてきた。広い敷地に建てられた大きな、いかめしい感じのする家だ。シャーロックは最上階の自分の部屋の窓に目をやった。天井が斜めになった屋根裏部屋で、あまり快適ではなく、夜になっても、ベッドにはいりたいという気はなかなか起きない。

玄関の前に馬車がとまっていた。御者はムチの先端を指ではじいている。馬は首にさげた袋から干し草をおとなしく食べている。

「来客かね」

「昼食にお客さんを招いているという話は聞いていません」

「まあいい。すぐにわかることだ。少し待てば答えがわかることを考えてもしかたがない」

シャーロックは玄関の前の階段を駆けあがった。ドアは半開きになっている。クロウはゆっくりとあとにつづいた。

広間は薄暗く、高い窓からさしこむ光はほこりを浮きあがらせているだけで、壁にかけられた絵はぼんやりとしか見えない。そこには夏の暑さがこもっている。

「ちょっと待っていてください。家のひとに伝えてきます」

「その必要はない。もうすでに伝わっているよ」

クロウは階段の下の暗がりにあごをしゃくった。

その暗がりから人影が姿をあらわした。黒い髪に、黒いドレス。そこに白い肌が浮きあがっている。

「おこしになるという話は聞いていませんでしたわ、クロウさん」

「ホームズ家のすばらしいもてなしぶりは広く知られています」と、クロウは臆することなく答えた。「だから、お昼どきであることは承知で、ふらりと立ち寄ったのです。もちろん、あなたにまたお目にかかりたかったということもあります、エグランタインさん」

エグランタイン夫人は細くとがった鼻の下で薄い唇をひきつらせた。ほほえんでいるのだろう。

「あなたにそんなふうに言われて喜ぶ女性もなかにはいるでしょう。でも、わたしはちがいます」

「ぼくたちはクロウ先生といっしょに食事をとります」

シャーロックはきっぱりと言ったが、エグランタイン夫人の刺すような視線に、背筋が寒くなるような感覚をおさえることはできなかった。

「あなたではなく、あなたのおじさんとおばさんが決めることです」と、エグランタイン夫人は言った。

「だったら、ふたりに伝えてきます」

シャーロックはクロウのほうを向いた。

「ここで待っていてください」

そして、また前を向いたとき、エグランタイン夫人の姿はふたたび物陰に消えていた。

クロウは小さな声で言った。

「どうもわからないな。彼女は家政婦というより家族の一員のようにふるまっている。この家のすべてをとりしきっているように見える」

「おじさんとおばさんがどうしてなにも言わないのか不思議でなりません。ぼくなら黙っちゃいません」

シャーロックは広間を横切り、ダイニング・ルームをのぞいた。メイドが部屋のすみのテーブルのまわりで忙しそうに食事の準備をしている。コールド・ミート、魚、チーズ、ライス、野菜の酢漬け、パン……いつもどおりの光景だが、おじとおばの姿はなかった。

そこで広間にもどり、ちょっと考えてから、図書室の前に行ってドアをノックした。なかから、おじのシェリンフォード・ホームズの声が聞こえた。

「はいりたまえ」

ドアをあけると、おじは机に向かってすわっていた。流行遅れの黒いスーツ姿で、長いひげが胸もとを覆い、机の上に垂れている。

「クロウ先生がお見えになっています。できれば昼食をいっしょにと思っているんですが」

「ちょうどいい。こちらからも話をしたいと思っていたところだ」と、シェリンフォードは答えた。

けれども、シャーロックの関心はもはやそこにはなかった。両開きのガラス戸の前に、高い襟(えり)がついたフロック・コートを着た男が立っている。

「兄さん!」

マイクロフトは会釈(えしゃく)をした。おちついてはいるが、目は心なしかうるんでいるように見える。

「元気そうだな、シャーロック。おまえにはいいなかの空気があっているのかもしれないね」

「いつ着いたの」

「一時間前だ。ウォータールーから汽車に乗り、そのあと駅からは辻馬車(つじばしゃ)でここまで来た」

「いつまでいるの」

マイクロフトは大きな体のわりには小さな動作で肩(かた)をすくめた。

「夜までには帰らなきゃならない。でも、おまえの近況(きんきょう)を聞くくらいの時間はあるよ。クロウ先生がいらしているとのことだったね。ちょうどいい。クロウ先生にも話したいことがある」

ここでシェリンフォードが口をはさんだ。

「わたしたちの話はまだすんでいない。先にダイニング・ルームに行っていてくれ」

出ていけということだ。シャーロックはドアを閉めた。自分の顔に笑みが広がっていくのがわかった。兄さんがここに来ている。すべてのものがさっきよりずっと明るくなったように見える。

広間の向こうからエイミアス・クロウの声が聞こえた。

「きみのお兄さんの声が聞こえたような気がしたんだが」

「屋敷の前にとまっていたのは、兄の馬車だったんです。先生ともお話がしたいそうです」

クロウはしかつめらしくうなずいた。

「どういうことだろう」

「昼食をごいっしょにとシェリンフォードおじさんは言っていました」

「そいつはありがたい」

クロウといっしょにダイニング・ルームにはいったとき、エグランタイン夫人は窓と窓のあいだの壁ぎわに立っていた。もしかしたら幽霊で、壁をすりぬけられるのかもしれないと一瞬思ったが、ばかばかしい。幽霊などいるわけがない。

エグランタイン夫人のことは考えないようにして、シャーロックはすみのテーブルから肉とサーモンをとり、皿に盛った。クロウもテーブルの逆のはしから料理をとりはじめた。

兄の訪問は唐突（とうとつ）で、意外だった。兄はロンドンに住み、ロンドンで働いている。国家公務員だ。本人は、下っぱでたいした仕事はしていないと言っている。だが、実際はちがう。実際はそれなりに重要な地位についているにちがいない。シャーロックがおじの家に連れられてくるまえ、兄はときどきロンドンから実家にもどってきて、何日か泊（と）まっていった。そのときには、馬車に乗った男が毎日やってきて、いつも赤い箱を兄に直接わたしていた。そして、翌日、こんどは兄のほうからその男に封筒（ふうとう）をわたしていた。それは前日届けられたメッセージへの返信なのだろう。政府がこんなふうに連絡（れんらく）をとりたがっているということは、兄がそれなりの立場にいるということにほかならない。

そのとき、図書室のドアが開く音がし、少し間を置いて、シェリンフォードがダイニング・ルームにはいってきた。

「ああ、神の食事（ブローマセオン）」

シェリンフォードは料理のならんだテーブルを見ながらギリシア語で言い、それからシャーロックのほうを向いた。

「お兄さんが待っている。図書室へ行きたまえ」

そしてつぎにクロウのほうを向いた。

「あなたにも同席していただきたいとマイクロフトは言っていました」

シャーロックは皿を置いて図書室へ急ぎ、クロウはゆっくりとした足どりでそのあとについた。

マイクロフトはさっきと同じガラス戸の前に立っていた。笑いながら前に進みでると、シャーロックの頭に手をやり、髪をくしゃくしゃにした。それから、クロウのほうを向いて、握手をした。

「まずはご報告から」と、マイクロフトは言った。「警察のけんめいの捜査にもかかわらず、モーペルチュイ男爵の行方はいまだ突きとめられていません。たぶんフランスに逃げかえったものと思われます。さいわいなことに、ハチに刺されて死亡した者は、軍にも民間にも、ひとりもいませんでした」

クロウは厳しい表情をしていた。

「あのような計画が成功する可能性があったとは思えない。あまりにも現実ばなれしすぎている。でも、用心するにこしたことはない。とにかく大事にいたらなくてよかったよ」

「政府は感謝の意を表しています」

「父さんは?」と、シャーロックは聞いた。

「船はもうすぐインドに着く。今週中に上陸するはずだ。便りが届けば、すぐに伝えるよ」

「それで……それで、母さんは？」

マイクロフトはため息をついた。

「容態はあいかわらず思わしくない。医師の話だと、一日に十六、七時間は眠っているらしい。いまなによりも大事なのは、ゆっくりすることだ。精神的にも肉体的にもできるだけ負担をかけないようにしたほうがいい」

喉がつかえ、言葉が出てこない。

「わかった。じゃ、やっぱり夏休みはずっとここで過ごすってことだね」

「ああ。その点について少し考えてみたんだが、ディープディーン校はやはりおまえにあまり向いていないのかもしれない」

「少なくとも、ラテン語はだいぶ上達したけどね」

シャーロックは答え、それからそう答えたことを後悔した。本当なら、向いていないとはっきり答えるべきだったのだ。

「そうかもしれない。でも、ラテン語以外にも学ばなきゃならないことはいっぱいある」

「ギリシア語とか？」

マイクロフトは笑った。

「おまえのユーモアのセンスはここでも健在のようだな。いいや、そうじゃない。たしかにラテン語やギリシア語を学ぶことはとても重要だ。でも、おまえには学校より個人授業のほうがあっているんじゃないかという気がしてならない。家で勉学にはげんだほうがいいのかもしれない」

「学校へはもどらないってこと?」

ディープディーン校に思い残すことはないかとシャーロックは考えたが、なにも思いつかなかった。友人もいなければ、楽しい思い出もない。ただ退屈なだけだった。思い残すことはなにもない。

「大学のこともそろそろ考えなきゃならない。ケンブリッジにするか、オックスフォードにするか。学習方法を変えたら、ディープディーン校にいるより、好ましい結果が得られるかもしれない。おまえは規格はずれの人間だ。教育もそれに見あったものでなきゃならない。夏休みがおわるまでにどうするか決めて、あらためて連絡するよ」

エイミアス・クロウが口をはさんだ。

「出すぎたことを言うようだが、わたしもささやかながら力をお貸ししたいと思っている」

マイクロフトは口もとをほころばせた。

「ありがとうございます。ここであなたに教えてもらっていなかったら、シャーロックはこんなに生き生きとしていなかったはずです」

「シャーロックもホームズ家の一員だ。導くことはできるが、強要はできない。きみと同様にね」

「ええ、そうかもしれません」

兄もクロウ先生に教えてもらっていたということなのか。気になったが、たしかめるまえに、マイクロフトは言った。

「クロウ先生とふたりだけで話したいことがあるんだ、シャーロック。悪いが席をはずしてもらえないかな」

「わかった。帰るまえに声をかけてくれるね」

「もちろん。夜まではいる。屋敷(やしき)を案内してもらえるかい」

「外に散歩に出かけてもいいね」

マイクロフトは身震(みぶる)いした。

「遠慮(えんりょ)しておく。この格好は探検には向かない」

「家のまわりを歩くだけだよ。森のなかに分けいるわけじゃない」

「頭の上に屋根がなくて、靴(くつ)の下に床(ゆか)や歩道がなければ、それは探検だよ。さあ、しばらくのあいだクロウ先生とふたりにしてくれ」

シャーロックはしぶしぶ図書室を出て、ドアを閉めた。ダイニング・ルームから声が聞こえてくる。おばとおじが昼食の席についたのだろう。ふたりのとりとめもないおしゃべりにつきあう気にはなれない。外に出ると、ポケットに手を突っこんで、石を蹴飛ばしながら、屋敷の横をぶらぶらと歩きはじめた。太陽はほぼ真上に来ている。汗が額や背中にふきでてくる。

前方に、図書室のガラス戸があった。戸は開いている。

近くに行けば、話し声を聞くことができる。

心の片すみから、聞いてはいけないという声が聞こえてくる。これはあくまでふたりの私的な会話なのだ。けれども、別の片すみからは、聞いていいという声が聞こえてくる。ふたりは自分のことを話しているのだ。

シャーロックは石づくりのテラスぞいにガラス戸に近づいた。

「まちがいないのかね」

クロウが言い、マイクロフトは答えた。

「あなたは以前ピンカートン社にいたんでしょ。アメリカからは遠くはなれていますが、彼らの情報は正確です」

「でも、まさかイギリスに来ているとは……」

「アメリカは危険すぎるということでしょう」

「アメリカは大きな国だ」

「ええ、未開の地がたくさん残っています」

「国境をこえてメキシコへ行ったのならまだしも……」

「でも、そうはしていない。考えてみてください。彼がこの国に来たのは、南軍の残党が大勢いるからです。あなたがイギリスに来たのは、懸賞つきの南軍の残党をつかまえるためです」

少し間があった。

「筋は通っている。じゃ、連中は陰謀をたくらんでいるというのかね」

「現時点では、そこまではいってないと思います。連中がイギリスに引きよせられるのは、この国が文明的で、同じ言語を話し、安全だからです。でも、ほうっておけば、かならず陰謀に発展します。悪だくみ以外なにもすることのない危険人物がわんさといるんです。つぼみのうちに摘みとらなきゃなりません」

頭がくらくらする。ふたりはいったいなんの話をしているのか。途中からしか聞いていないので、なんのことかさっぱりわからない。

そのとき、部屋のなかから兄の大きな声が聞こえた。

「もういい、シャーロック。聞いているなら、はいってきなさい」

⚜ 2 ⚜

シャーロックは開いたガラス戸から図書室にはいった。はずかしさで、顔がほてっている。なぜか怒りを感じた。なんに対する怒りかはわからない。盗み聞きしているのを見つけた兄に対する怒りか、見つかった自分に対する怒りか。

「どうして？　どうしてわかったの？」

シャーロックが聞くと、マイクロフトは穏やかな口調で答えた。

「第一に、おまえが聞いているかもしれないと最初から思っていたから。おまえは好奇心が旺盛で、最近のもろもろのできごとから判断すると、社会のルールを破ることにどれほどの抵抗も感じていないように見える。第二に、それまでは窓から微風が吹きこんでいた。それがとつぜんとまった。もちろん、おまえの姿が見えたわけでも、そこに影ができていたわけでもない。でも、風の流れがとまったということは、なにかがそれをさえぎっているということだ。としたら、おまえがそこに立っているという結論を出すのは、そんなにむずかしいことじゃない」

「怒ってる?」

「いいや、ぜんぜん」

「そのとおり。お兄さんは怒っていないよ」と、クロウがやさしく言葉を継いだ。「少なくとも、きみは太陽を背にして立ち、テラスに影を落とすような間抜けなことはしなかったからね」

　マイクロフトは同意した。

「たしかに。それじゃ、初歩的な幾何学の知識もないってことになるからね」

「ぼくを試したってこと?」

「そうかもしれない。でも、悪気があったわけじゃない。話はどのあたりから聞いていたんだい」

　シャーロックは肩をすくめた。

「だれかがアメリカからイギリスに来たってところから。その男は危険人物と見なされているってことも、ピンカートンという会社のことも聞いた」

　クロウはほほえんだ。

「会社にはちがいないがね。ピンカートン社というのは探偵事務所だ。アラン・ピンカートンという男が二十年ほどまえにシカゴに設立した。そのころ、アメリカでは鉄道網が全国各地にひろがりつつあったが、鉄道会社は強盗や破壊活動や組合運動から自分たちを守る手段を持っていなかった。それでアランはそこに警備員を送りこみ、警察のような仕事をさせた」

「ファーストネームで呼びあうくらいの親しい仲なんですか」

「昔なじみだ。七年前、エイブラハム・リンカーンが大統領就任式のためにボルティモアを通過したときに知りあった。そのとき、南部の連中が暗殺計画を立てていたが、アランが警備の指揮をとってくれたおかげで未然に防ぐことができたんだよ。以来おりにふれてアランから相談を受けていてね。給料はもらってないが、コンサルタント料はときどき受けとっている」

「リンカーン？　でも、リンカーン大統領は――」

「ああ、結局は暗殺された。そのまえには、ワシントンで狙撃事件があった。ボルティモアの暗殺未遂事件の三年後のことだ。そのとき地面に落ちたリンカーンの帽子をあとで調べてみると、そこには銃弾による穴があいていたことがわかった。あと数センチずれていたら、頭に命中していただろう。そしてその一年後、つまりいまから三年前には、実際に暗殺された。ワシントンの劇場で『われらのアメリカのいとこ』という芝居を観ていたときのことだ。犯人はジョン・ウィルクス・ブースという男で、大統領を撃ったあと、舞台の上に飛びおりて逃走した」

クロウはため息をついた。その表情は石の彫刻のようにかたくこわばっていた。

マイクロフトはなだめるように言った。

「しかたがありません。あなたはその場にいなかったのです」

「その場にいるべきだった。わたしも、アランも。実際のところ、あの夜の護衛はジョン・フレデリック・パーカーという警官ひとりだけだった。しかも、大統領が撃たれたときには、そばにさえいなかった。となりのスター・ターバンという店でビールを飲んでいたんだ」

部屋に重苦しい沈黙が垂れこめた。

「新聞で読んだことがあります」と、シャーロックは言った。「父がその話をしていたことも覚えています。でも、リンカーン大統領が暗殺された理由はよくわかりません」

マイクロフトは苦々しげな顔をしていた。

「近ごろの学校教育はこれだからね。学校でのイギリス史は百年前でおわっている。世界史はなきに等しい」

そして、クロウのほうを向いた。だが、クロウは話を引きとらなかったので、マイクロフトはつづけた。

「アメリカの南北戦争のことは知っているね」

「タイムズ紙に出ていたことくらいなら」

「簡単に説明しよう。アメリカの南部十一州が独立を宣言して連合国をつくった。たとえて言うなら、イギリスのドーセット州やデボン州やハンプシャー州がイギリスに対してとつぜん独立を宣言し、別の国をつくるようなものだ。それで、しばらくのあいだ、アメリカにはふたりの大統領がいる時期があった。北はエイブラハム・リンカーンで、南はジェファーソン・デービスだ」

「南部の州はどうしてそんなことをしなきゃならなかったの？」

「どんなときでも、独立を望む理由はたいてい決まっている。命令されたくないってことだ。この場合は思想信条もちがっていた。リンカーンは奴隷解放を選挙の旗印にかかげていたが、南部は奴隷制度を維持したがっていた」

「そんなに簡単じゃないと思うがね」と、クロウは言った。

「わかっています。でも、さしあたってはこれで十分でしょう。戦争は一八六一年四月十二日にはじまり、それからの四年間で六十二万人のアメリカ人が死亡した。兄と弟が争ったり、親と子が争ったりすることも多くあったと聞いている」

雲が太陽の前を横切り、一瞬部屋が暗くなった。マイクロフトはかすかに身震いをした。

「しだいに北軍は南軍を圧倒するようになっていった。一八六五年四月九日には、南軍の司令官であるロバート・リー将軍が北軍に降伏した。リンカーン大統領が暗殺されたのはその五日後のことだ。犯人のジョン・ウィルクス・ブースはシェイクスピア俳優として知られていた男で、計画では、仲間たちが同時に国務長官と副大統領を殺害することになっていた。だが、そのひとりは途中でおじけづいて逃げだし、結局はどちらも未遂におわった。同じ年の六月二十三日には、南軍の最後の将軍が降伏し、十一月二日には、南軍最後の軍艦シェナンドー号が大西洋を横断し、イギリスのリバプールで投降した。その場にはぼくも政府の一員として立ちあったんだがね。それで内戦は終結した」

クロウが口をはさんだ。

「いちおうはね。南部にはいまも独立を望み、抵抗を呼びかける者が大勢いる」

マイクロフトはつづけた。

「問題はここからだ。ブースの仲間たちはつかまり、一八六五年七月に死刑になった。ブース自身は逃亡したが、十二日後につかまって射殺されたことになっている」

シャーロックは最後のひとことの微妙な言いまわしを見逃さなかった。

「射殺されたことになっている?」

「この三年間、奇妙なうわさが絶えない。撃ち殺されたのはブースではなく、同じような背格好の別人だったとか。ブースはいまも逃げつづけているとか。ジョン・セント・ヘレンと名乗っているとか。国外に逃亡したとか」

「そして、いまはイギリスにいると考えているんだね」

マイクロフトはうなずいた。

「きのうピンカートン社から電報がはいった。ジョン・ウィルクス・ブースによく似た男が、ジョン・セント・ヘレンという名前で、日本からイギリスへ向かう船に乗っていたらしい。それで、その旨を当地に滞在しているミスター・エイミアス・クロウに伝えてもらいたいとのことだったんだ」

マイクロフトはクロウのほうを向いた。

「アラン・ピンカートンの話だと、ブースは三年前にシェナンドー号でイギリスに来た。それからしばらくして国外へ脱出し、ふたたび帰ってきたというわけです」

クロウはシャーロックに言った。

「まえにも言ったと思うが、わたしがこの国に来たのは、戦争中に大勢の市民を殺したり、町を焼いたり、人道にはずれた行為をした犯罪人をつかまえるためだ。だから、アランがわたしに調査を依頼するのは少しも不思議なことじゃないんだよ」

「ひとつ聞いてもいいですか」と、シャーロックは言った。「内戦のとき、先生はどちらの側だったんです。先生の出身地はアルバカーキですよね。このまえ、ここの図書室でアメリカの地図を見てみたんです。アルバカーキはテキサス州の町です。つまり南部ってことです」

「そのとおり。内戦時、テキサスは南軍側だった。でも、南部出身だからといって、南部がすることすべてに従う必要はない。人間には、より高い規範に従って行動する権利がある。わたしは奴隷制を嫌悪している。肌の色で人間の優劣が決まるとは思っていない。これまでわたしが出会ったなかで、もっとも聡明な者のなかには黒人もいたし、もっとも愚かな者のなかには白人もいた」

「それで、先生は北軍についたんですね」

「南軍にいたが、北軍のために働いていたとだけ言っておこう」

「スパイですか。それって、道徳に反することじゃ……」

「道徳を論じるのはまたの機会にしないか。そういう話をしはじめたら、それだけで一日を費やしてしまう。政府がスパイを使うのはめずらしいことじゃない」

「兄さんがここに来たのは、ピンカートン社に頼まれたことをクロウ先生に伝えるためだったんだね。ということは、ぼくに会いにきたんじゃないってことなんだね」

「いいや。ふたりに会いにきたんだよ」と、マイクロフトはやさしく答えた。「ひとつの要素だけで結論を出さないというのも、大人であるってことのあかしのひとつなんだよ、シャーロック。わかるな。人生とはそんなに単純で割りきれるものじゃない」

「ぼくは割りきったほうがいいと思うけど。物事は正しいか、正しくないかのどちらかだから」

マイクロフトはほほえんだ。

「おまえは外交官をめざさないほうがいい」

クロウはおちつかなげに足を組んだ。

「ところで、ジョン・セント・ヘレンと名乗る男はいまどこにいるんだね」

マイクロフトは上着のポケットから紙片をとりだし、それを見ながら答えた。

「住まいはゴダルミンのギルフォード街道ぞいにあります。家にはシェナンドーという表札がかかっているそうです。故意なのか、偶然(ぐうぜん)なのかはわかりません……どうなさるおつもりです」

「調べてみる。わたしはそのためにここにいるんだ。もちろん用心はおこたらない。わたしのような大男のアメリカ人は目立ってしかたがないからね」

「くれぐれも慎重に願いますよ。ここはイギリスです。法律違反は厳禁です。殺人罪で死刑になったりしたらたいへんですからね。消化にも悪い」

「ぼくに手伝わせてください」と、シャーロックは言った。

言ってから、そう言った自分に驚かされた。あとさきの考えもなく、言葉が頭から直接口に出てしまったのだ。

マイクロフトとクロウは驚いてシャーロックを見つめた。

「だめだ」

マイクロフトは厳しい口調で言い、クロウはそれに同意した。

「ぜったいにだめだ」

「でも、ぼくならゴダルミンに行って、いろいろ聞いてまわっても、怪しまれません。このまえもそうでした」

「あのときとは事情がちがう」と、マイクロフトは言った。「このまえはたまたまやっかいごとに巻きこまれただけだ。おまえの身になにかあれば、父はぼくを許さないだろう」

モーペルチュイ男爵の件に関しては、言いたいことがないわけではない。いくつかの重要な点を無視されているか、誤解されている。でも、ここであえて話題にすべきことではない。目の前にもっと重要な問題があるのだ。少なくとも、いまは過去のことをほじくりかえしているときではない。

「できるだけ人目につかないようにするよ。そうしたら、そんなに危険じゃないと思う」

「ジョン・セント・ヘレンがジョン・ウィルクス・ブースだとすれば、その男は逃亡者であり、殺人犯だ」と、クロウは言った。「アメリカへ連れもどされたら、絞首刑が待っている。追いつめられた野獣のようなものだ。危険は大きい。追っ手がせまっていると気づいたら、雲隠れをするために痕跡をすべて消し去ろうとするだろう。きみも痕跡のひとつとして消されるかもしれない」

　マイクロフトはクロウのほうを向いた。

「ピンカートン社がどこまでのことを知っているのかはわかりませんが、ブースとその共犯者たちの裏にはまちがいなくもっと大きなものがあります」

「それはそうだろう。そのさらに背後にはアメリカの内戦があるんだ」

「ええ。リンカーン大統領の暗殺を計画したのは彼らではありません。彼らは命令にしたがっただけです。逆に言うと、命令を与えた者がどこかにいるということです。ブースがいまイギリスに来ているとすれば、ここからアメリカに帰ろうとしているということかもしれません。そうだとしたら、それはなんのためなのか。その目的はなんなのか」

　クロウはほほえんだ。

「やつがアメリカに帰ろうとしているなら、話は簡単だ。わたしの仕事はずいぶん楽になる。まえもってアメリカ側に連絡をとり、やつが船からおりたときに逮捕すればいいだけのことだ」

「でも、われわれはその目的を突きとめなければなりません。ブースをつかまえることが陰謀を阻止することにはならないかもしれない」

クロウは頭をふった。

「陰謀があるとすればね」

なんだか哲学談義を聞いているみたいだった。ただひとつはっきりしているのは、クロウ先生がブースという男のあとを追ってどこか遠いところに行かなければならなくなるかもしれないということだ。できることなら、なんとか力になりたい。でも、兄にはないしょにしておいたほうがいい。

「じゃ、ぼくはこれで行くよ」と、シャーロックは言った。

マイクロフトはうなずいた。

「そうだな。外を散歩するなりなんなりしてくればいい。ぼくたちはもう少し話さなきゃならないことがある」

クロウはシャーロックを見もせずに言った。

「あしたの朝わたしの家に来なさい。さて、さっきの話のつづきだが……」

ふたりは犯罪者の身柄引渡し(みがらひきわた)条約の話をはじめ、シャーロックは部屋を出た。

外は太陽がさんさんと輝き(かがや)、薪(まき)のにおいがした。ファーナムの醸造所(じょうぞうしょ)から麦芽のにおいが漂(ただよ)ってくる。

ゴダルミンはここからそんなに遠くない。マティなら、その町のことをよく知っているにちがいない。

マティことマシュー・アーナットは、最近知りあって親しくなった少年で、小さな舟(ふね)のなかにひとりで住んでいる。その舟(ふね)で運河伝いに町を行き来しているが、ファーナムに来てからは、ほかの町に移らず、ずっとそこにいついている。

ゴダルミンのシェナンドーという家にいるのは、暗殺者かもしれないのだ。できれば、マティについてきてもらいたい。マティにはこれまで何度か命を救ってもらっている。そばにいてくれたら、大いに心強い。

シャーロックは屋敷(やしき)の裏手にまわり、台所のわきを通って、馬小屋に向かった。そこには数週間前にマティとふたりでモーペルチュイ男爵(だんしゃく)の屋敷(やしき)から連れだした二頭の馬がいて、干し草をうまそうに食べていた。馬丁に小銭をわたして面倒(めんどう)をみてもらっているのだが、そこに馬が二頭増えたことに気づいた者はほかにだれもいなかった。バージニアに乗り方を教えてもらったので、いまでは乗馬はお手のものになっている。バージニアといっしょに馬で遠出をしたこともある。

　シャーロックは馬にまたがり、左手でもう一頭の馬の手綱を引いて、外に出た。馬に乗っていくだけならなんの問題もないのだが、もう一頭の馬を引っぱっていかねばならないので、思った以上に時間がかかり、マティが舟をとめているところに着くまで三十分以上かかった。

　マティは舟の舳先にすわって、運河をながめていた。シャーロックを見ると、すばやく立ちあがって言った。

「馬を連れてきたのか」

「よくわかったね。鋭い観察眼だ」

「なんだい、その言い方は。馬を連れてきたってことは、おれにどこかについていってほしいってことだろ。だったら、もう少し口のきき方に気をつけな」

「わかった。あやまるよ。つい口をついて出ちゃったんだ」

「それで？」

「ゴダルミンへ行きたいんだ」

　マティは目を細めてシャーロックをじっと見つめた。

「なにをしに？」

「そこへ行く途中で話すよ」

そこからはずっとゆるやかな上り坂が、はるかかなたの尾根までつづいていた。尾根の両側の斜面の先には、靄のかかった野原がひろがっている。

マティは馬上で首をまわして言った。

「ここはホッグス・バックというところだ。もう少しでゴムシャルというところに出る。そこから下り道になる。ゴダルミンまではあと一時間くらいだ。このまままっすぐ行ってもいいし、ここで少し休んでもいい」

「じゃ、少し休もう。ながめもいいし、馬も一息つけるからね」

「馬は平気さ。おまえが休みたいだけなんだろ。ケツが痛いから」

残りの道のりは楽だった。だだっぴろい野原では、ヒツジとヤギとブタがならんで草を食べている。ゴダルミンの町の手前には、ひとの背丈ほどある葦が密生した小川があり、そこにかかった橋をわたると、そのすぐ先に左に折れる道があった。

マティはその道を指さして言った。

「これがギルフォード街道だと思う。どっちへ行く？」

「町の中心とは反対の方向へ行こう。さがしている家は、町はずれのさびしい場所にあると思う」

　そこからはゆっくりとした足どりになり、シャーロックは道ぞいに立ちならぶ家を一軒一軒見ていった。マティはその様子を黙って見ているだけで、なにをしているのかとたずねはしなかった。

　家はみな小さく、表札が出ているところはほとんどなかった。数軒の家の前で、子どもたちが木のコマや革のボールで遊んでいて、なかには手をふってくる者もいる。

　しばらく行ったところに、一軒だけぽつんと建っている家があった。家と家とがそんなにはなれているわけではないが、道をまがったところにあり、雑木林に囲まれているので、孤立しているように見えるのだ。ドアの横に木の表札がかかっている。そこに書かれた名前は、Sからはじまっているように見えるが、遠くからだとはっきりとはわからない。紫色の花をつけたフジの蔓が壁をびっしりとおおっている。

「ここかな」と、マティは言った。「ドアをノックしてみようか」

「いや。前を通りすぎて、しばらく行ったところでとまろう」

　家の正面にはしっくいが塗られていて、窓にはよろい戸がおりている。外からちらっと見たかぎりでは、家の前の庭の手いれは行きとどいている。住人がいるのはまちがいない。

　家の前を通りすぎると、ふたりは馬をとめた。

「どういうことなんだい」と、マティは聞いた。「なにを調べようとしているんだい」

「あとで話す。さっきの家の玄関を近くで見たいんだけど、なにかいい方法はないかな」

「簡単さ。そこまで歩いていって、呼び鈴を鳴らせばいい」

「聞くんじゃなかったよ」

シャーロックは周囲を見まわした。なにも変わった様子はない。

「ここに来る途中、ボールで遊んでいた子どもたちがいただろ。そこへ行って、小銭をやり、ボールを借りてきてもらえないかな。すぐにかえすからと言って」

シャーロックはポケットをさぐり、数枚のコインをとりだした。

「わざわざこんなとこまで来て、ボール遊びをすることはないと思うんだけど」

「いいから頼む」

マティはため息をついて、コインを受けとると、もと来た道をもどっていった。

シャーロックは馬を木につなぎ、雑木林のはずれまで行って、そこから家を観察した。人けはない。表札にはシェナンドーと書かれているのか。それとも、サマーアイルとかストレンジウェイズといった別の名前なのか。

しばらくしてマティがボールを持ってもどってきた。

「借りてきたよ。でも、このボール、空気がぬけている」

「かまうことはない。キャッチボールをしながら、さっきの家のほうに歩いていこう。家の近くまで行ったら、ボールをわざと投げそこねて、玄関の前に落とすんだ」

「それで、そのボールを拾いにいくんだな。よし、わかった」

「ぼくが拾いにいく。表札になんと書いてあるかたしかめたいんだ」

ふたりはボールを投げあいながら、通りをあともどりしはじめた。そうやって先ほどの家の前まで行くと、マティは通りの反対側に立って、シャーロックの手が届かないところへボールを投げた。ボールは前庭に落ち、ドアの前まで転がっていった。

シャーロックは両手をひろげ、肩をすくめて、いらだたしげなしぐさをしてみせた。それからふりかえって、家の前の小道を進み、ドアの前まで行った。そこで腰をかがめてボールを拾い、そのときにドアの横の表札をちらっと見た。

――シェナンドー。

まちがいない、ここだ。としたら、つぎになにをすればいいのか。外で見張っていて、住人が出てくるのを待つか。留守のようなら、忍びこんで、なかの様子を調べてもいい。

考えているあいだに、ドアが開き、その向こうの暗がりからひとりの男が出てきた。やせていて、あごには灰色の細いヤギひげをたくわえている。ぎょっとさせられたのは、顔の左半分だった。皮膚は赤く焼けただれている。左の目には暗い穴があいているだけで、眼球はない。

「なにをしているんだ、このガキ」

男はシャーロックの髪(かみ)をつかみ、いきなり家のなかに引っぱりこんだ。

⚜ 3 ⚜

頭が焼けるように痛い。全体重がひとふさの髪にかかっている。いまにもそこの部分の頭皮がはがれそうな気がする。シャーロックは必死で男の腕をつかんだ。腕に体重をあずけるようにしたら、髪の痛みを多少はやわらげることができる。

「はなしてよ。ぼくはボールをとりにきただけだ」

男は聞いていない。ぶつぶつと毒づきながら、シャーロックを家のなかに引っぱっていく。

広間は高い窓から日の光がさしこんでいて明るい。家具は少なく、がらんとしている。タイル張りの床に足音がこだましている。

男は左手でドアをあけ、シャーロックをなかに引きずりこんだ。そこは応接室のようで、数脚の布張りの椅子と小さなテーブルが置かれている。テーブルの上には、レースの小さな敷物がのっているだけだ。調度はかたちだけのもので、生活感はまったくない。

驚いたことに、床にはひとりの男が倒れている。部屋に引きずりこまれ、椅子に押し倒される直前に、うつぶせになった男の下半身とブーツがちらっと見えたのだ。

シャーロックは髪に手をあてた。頭皮は骨からはがれていない。生あたたかい血が流れてもいなければ、肉がむきだしになってもいない。痛いだけだ。だが、その痛みはなみたいていのものではない。

シャーロックはしらを切り、大きな声で言った。

「頼むよ。帰してよ。パパとママが心配するよ。ぼくはこの先に住んでるんだ」

男はそしらぬ顔をして、鳥のように首をせわしなく動かし、窓とドアを交互に見やっている。

シャーロックは男を見つめた。これまでは顔の左半分にしか目がいかなかったが、いまなら全身をじっくりと観察することができる。

服は上下とも黒で、腕のいい仕立て屋につくらせたものであることは一目でわかる。ファーナムでよく見かけるウールの安物とはまったくちがう。一風変わったデザインで、外国のもののようだ。見るひとが見れば、縫い目やカットの仕方から、それがどの国でつくられたものかわかるだろう。

体はやせていて、手首はごつごつし、喉ぼとけは突きでている。顔の右半分だけだと、あごにも口もとにも立派なひげがはえていて、印象はすこぶるいい。だが、左半分はひどい。皮膚は赤くてかっていて、月の表面のようにでこぼこしている。ひげは山火事のあとのようにまばらで、肌からぽつりぽつりと突きでているだけだ。目のあるところには、傷あとのような大きな穴があいている。

「お願いだから――」

「なにも言うな。黙っていろ」

発音はイギリス人のものではない。エイミアス・クロウやバージニアのものに近いが、まったく同じというわけではない。もう少し洗練されている。声には張りがあり、舞台の上でせりふをしゃべっているような印象を与える。顔の筋肉をぴくぴくとひきつらせていなければ、どこからどう見ても、役者の演技だ。

男はだしぬけに聞いた。

「あとどれくらいだ。あとどれくらいでもどってくる」

「なんのことかさっぱり――」

言いかけたとき、男は前に進みでて、シャーロックの顔を手の甲でなぐった。頭のなかで火花が散る。口に血の味がひろがる。

「うそをつくな。おれはうそのにおいを嗅ぎわけられるんだ。あとどれくらい時間の余裕があるか言え」

「一時間くらいかな……」

わけがわからないが、精神に異常をきたしているのはたしかだ。話をあわせるしかない。

男はとつぜん首をのばして、鼻をくんくんさせはじめた。

「煙だ……煙のにおいがする。逃げなきゃ。アジアに行こう。アジアなら安全だ。ここにはおれをさがしている者が大勢いる」

「裏口にひとがいないかどうかたしかめてくるよ」

「そうだ、船だ。船で香港へ行こう。ほとぼりが冷めるまで、そこに隠れていよう」

「隠れるって、だれから？」

男はシャーロックをにらみつけた。

「しらばっくれるな。おまえがやつらの一味だってことはわかってるんだ」

ホームズ荘で聞いた話がまちがっていないとすると、この男がアメリカ合衆国の大統領を殺した人間ということになる。言っていることは支離滅裂だが、アメリカ人であるのはたぶんまちがいない。自分がやったことのせいで、精神に異常をきたすようになってしまったのだろう。これでクロウ先生と兄のところへ持ってかえる話はできた。問題はここからどうやって逃げるかだ。

男はだれかに糸で引かれているかのようにとつぜん首をまわした。

「煙だ、煙だ」

男は叫びながら、部屋から出ていった。シャーロックは部屋にひとり取り残された。

一瞬、逃げようと思った。たとえさっきの男が広間にいたとしても、全速力で走ったら、つかまることはないだろう。そこから玄関のドアをぬけて、外に出てもいい。でなかったら、ここの窓から庭に出てもいい。マティは通りで待っている。馬に乗れば、逃げられる。が、正確にいうと、部屋にはもうひとりいる。床に転がっている男が生きているかどうかをたしかめていったほうがいい。少なくとも、このままほうっていくわけにはいかない。シャーロックは椅子から立ちあがり、まわりの物音に気を配りながら、床に倒れている男のわきにかがみこんだ。男は横を向き、目を閉じている。頬にラム・チョップのようなかたちをしたひげがある。ほっとしたことに、荒い息をついている。後頭部の髪には血がこびりつき、ところどころに糊のかたまりのようなものができている。さっきの男に背後から頭をなぐられ、床に倒れたのだろう。

息がしにくいようだったので、シャーロックは頭の位置を変えてやった。着ているスーツは、生地も仕立て方ももうひとりの男のものとよく似ている。たぶん同じ仕立て屋につくらせたものだろう。

広間から物音がした。シャーロックが椅子にもどったとき、さっきの男が部屋にはいってきた。顔の右半分は汗で光っているが、左半分はかさかさに乾いている。

「船だ！　中国行きの船がおれを待っている！」

男は叫んだ。おびえた馬のように白目をむいている。船がどうのこうのというのも、さっきから言いつづけている煙と同様、幻覚にちがいない。煙というのはもしかしたら顔のやけどと関係があるのかもしれない。

「先に行ってくれていいよ」

シャーロックはできるだけ穏やかな口調で言った。刺激を与えないようにすれば、なにもしないで出ていってくれるかもしれない。そう思ったが、結果的にそれは逆効果にしかならなかった。男は腕をあげた。その手に握られたものを見て、シャーロックは凍りついた。それは回転式の弾倉がついた、銃身の長い銀色の拳銃だった。

男は銃口をシャーロックの額に向けた。

「大事なのは痕跡を残さないことだ」

シャーロックが椅子から横に転がりおちると同時に、拳銃が煙を吐き、轟音をあげた。つぎの瞬間には、椅子の張り地はぼろぼろになり、馬の毛の詰め物が飛びだしていた。

シャーロックは近くにあった小さなテーブルを放り投げた。男はまた拳銃を発射した。

銃弾はテーブルの甲板にあたり、そげた木の破片が回転しながら横に飛んでいった。
三発目が発射された。銃弾はシャーロックの頭をかすめて、窓にあたり、ガラスを粉々にした。

シャーロックは広間に通じるドアのほうに突進し、そこを通りぬけたとき、四発目の銃弾がドアの枠にあたり、木の破片が飛び散った。

玄関までは少し距離がある。そこのドアをあけているあいだに、男は広間に出てきて、また拳銃をぶっぱなすだろう。逃げ場はない。それよりも方向転換して、二階にあがったほうがいい。

二階の広間に達すると同時に、男が階段の下にあらわれた。拳銃に弾丸をこめている。広間を走りはじめたとき、銃声がして、壁にかけられたシカの剥製の頭がとつぜん横を向いた。ガラスの目があったところに穴があいている。かわいそうに、二度も撃たれるなんて。しかも、今回は走って逃げることもできなかったのだ。

広間の奥にはふたつのドアがあった。階段のほうからは足音が聞こえてくる。シャーロックは家の外観をけんめいに頭に思い浮かべた。玄関の片側には、窓ぎわまでフジの蔓がのびていたはずだ。それは右だったか、左だったか。

右にしよう。あてずっぽうだが、これ以上迷っていたら、手遅れになる。チャンスは五分と五分だ。

ドアに鍵(かぎ)はかかっていない。シャーロックはなかにはいって、ドアを閉めた。男が最初にもうひとつの部屋にはいれば、それでいくらか時間をかせぐことができる。

部屋にはベッドが置いてあった。シーツは乱れている。家政婦はいないということだろう。ということは、家のなかには顔にやけどのあとのある男と床(ゆか)に倒(たお)れている男のふたりしかいないということになる。彼(かれ)らが裏で策謀(さくぼう)をめぐらせているとしたら、家政婦を置くのは危険だ。できるだけ社会と接触(せっしょく)を持たず、人目につかないようにしているほうがいい。

後ろから物音が聞こえたので、シャーロックは部屋を横切り窓のほうへ急いだ。ベッドのわきを通りすぎたとき、その横に黒い旅行かばんが置かれていることに気づいた。口が開いていて、ガラスや金属の光が見える。なんだろうと思って、立ちどまり、なかをのぞいてみた。

片側には、無色の液体のはいった数本の小瓶(こびん)が、紐(ひも)で固定されている。底のほうには、外科用のメスなどの医療(いりょう)器具が乱雑に放りこまれている。かばんのもう一方の側には、細長い平たい容器がある。姉の体の具合が悪いときに、家に診察(しんさつ)にきた医師も同じようなものを持っていた。注射器をいれるための箱だ。

姉の部屋で医師や看護婦が忙(いそが)しそうに立ち働いているのをドアのすきまから見ていたと

きのことが、ふと頭に浮かんだ。注射器や針に光があたってきらきら輝いていた。それはまるで魔法の道具のようだった。医師が注射をうつと、姉の叫び声がぴたりとやんだのだ。

シャーロックは身震いした。そんなことを考えている場合ではない。拳銃を持った男がすぐ後ろにせまっているのだ。

窓は固かったが、腕に力をこめると、木と木がこすれる音がして、なんとか開いた。冷たい風が顔にあたる。窓から身を乗りだして、左右を見まわした。庭にも通りにも、マティの姿はない。だれの姿もない。

窓の横には、フジの蔓がある。それを伝って下におりるのは、そんなにむずかしいことではない。でも、おりる途中に、さっきの男が部屋にはいってきたら、どうなるか。頭をねらい撃ちにされるのはまちがいない。

上を見ると、蔓はレンガを伝って屋根までのびている。屋根の側面には、窓枠のように見えるものがならんでいる。男が部屋にはいってきて、そこにだれもいなかったら、窓の下を見るはずだ。窓の上にいるとはまず思わない。運がよかったら、見つからないかもしれない。少なくとも時間かせぎにはなる。

シャーロックは窓枠にのぼって、右手でフジの蔓をつかむと、左手でそっと窓を閉めた。それでまた多少の時間をかせぐことができる。

左足を横にのばして、二本の蔓が交差しているところをさぐると、永遠と思えるような時間が過ぎたあと、ようやく体重に耐えられそうなところが見つかった。

おそるおそる蔓に体重をあずけ、左足でつぎの足がかりをさぐる。それが見つかると、左手をのばして、蔓をつかもうとしたが、レンガとレンガのあいだに指がはいったので、そのままそこに体重をかける。そうやって一歩ずつあがっていき、ようやく窓の上に出た。屋根はまだ先だ。

レンガの粉が落ちてきて、目にはいった。目をつむって頭をふったとき、またレンガの粉や破片が落ちてきて、頭や肩にかかった。

足もとの蔓が体の重みに耐えきれなくなり、急に壁からはがれた。同じように体も壁からはなれ、ゆらゆらと揺れはじめた。下を見ると、それにあわせて地面も揺れているので、気分が悪くなってきた。ふと気がつくと、頭の上の蔓も壁からはがれそうになっている。

あわてて右手をのばすと、さいわいなことにもっと太い蔓をつかむことができた。右足を踏んばって、体を持ちあげると、左手が平たい軒びさしに敷かれたタイルに届いた。

ほっとして一息ついたとき、下から窓があく音が聞こえた。

シャーロックはぎょっとして、壁に体を密着させた。

目ではなく、感覚でわかった。男は窓から首を出し、地面を見ている。

シャーロックは息をとめた。少しでも音をたてたら、見つかってしまう。上からレンガの粉が落ちてくる。右手でつかんでいる蔓が壁からはがれそうになっている。長くつかまりすぎていたようだ。けれども、いま動くわけにはいかない。

またレンガの粉が目にはいった。シャーロックは目をしばたたいた。鼻がむずむずする。くしゃみが出そうになったので、鼻にしわを寄せ、息をとめると、なんとかこらえることができた。

男は下を見て、首を左右に動かしている。シャーロックは家の裏手に目をやった。庭に小さな木箱が積みあげられている。板と板のあいだにすきまがあり、その向こうでなにかが動いている。視線を下にもどしたとき、男は首をひねって上を見ていた。

見つかった。

「ふざけやがって、この野郎」

男はまた発砲した。銃弾が怒り狂ったスズメバチのように耳をかすめ、熱で髪の毛がこげるのがわかった。軒びさしによじのぼって、足を引きあげたとき、また銃声が聞こえた。

そのあとは静かになった。

息を整え、軒びさしから身を乗りだして、下の様子をうかがうと、窓べにはだれもいなくなっていた。階段をあがってくるつもりだろう。
まわりを見まわす。軒びさしの幅は一メートルほどで、そこからはタイル張りの急斜面になっている。屋根には三メートルほどの間隔で明かりとり用の窓がならんでいる。その下には屋根裏部屋があるということだ。

逃げ道を見つけなきゃならない。いますぐに。

蔓を伝っておりることはできない。それで、軒びさしを伝って、いちばん近い窓の前に行った。それをあけようとしたが、鍵がかかっているのか、窓枠に固定されているのか、微動だにしない。つぎの窓も同じだった。三番目の窓は少しだけ開いたが、木がゆがんでいて、それ以上は動かない。

四番目の窓をためそうとしたとき、軒びさしの角に、先ほどの男の姿が見えた。奥の屋根裏部屋の窓から出てきたのだろう。

その手には拳銃が握られている。銃口はシャーロックの胸に向けられている。

男は口からつばを飛ばしながら叫んだ。

「死ね！　地獄へ行け！」

撃たれて、屋根から落ちるのは避けられない。撃たれて死ぬのが先か、地面に転落して死ぬのが先か。どっちにしても、人生最後の経験になるのはまちがいない。

そのとき、別の男が屋根の角から姿をあらわした。がっしりした体つきのブロンドの男で、鼻と頬に紫色の毛細血管が浮きでている。顔にやけどのあとのある男の首をいきなり左腕でしめつけると、右手で肩に注射針を刺した。

と同時に、拳銃が屋根の上に落ち、やけどの男はブロンドの男の腕のなかでぐったりとなった。なにやら言おうとしているが、言葉にはなっていない。しばらく目をしばたたいていたが、そのうちにぴくりとも動かなくなった。

ブロンドの男は注射針を肩からぬくと、かがみこんで、屋根の上に落ちた拳銃を拾い、それからまた立ちあがって、シャーロックをにらみつけた。

「おまえはここでなにをしてたんだ」

「ボールが庭に転がりこんだので、さがしにきただけだよ。そうしたら、この男に家のなかに引っぱりこまれた」

「おまえを家のなかに引っぱりこんで、なにをするつもりだったんだ」

「さあ。そんなこと、ぼくにはわからないよ」

男は拳銃の銃身でズボンを軽くたたきながら、しばらく思案顔で黙っていた。

「とにかく、家のなかにはいろう」

男は銃口をシャーロックのほうに向け、意識を失った男のほうにあごをしゃくった。

「こいつを連れていけ。屋根の角をまがったところに、開いた窓がある。そこからなかに引きずりいれろ」

「でも――」

「つべこべ言うな。おとなしく言うことをきけ」

シャーロックは男の顔と拳銃を交互に見つめた。その顔は冷ややかで、引きつってもいなければ、せっぱつまった感じもない。だが、だからといって、拳銃を撃つのをためらうようなこともないはずだ。

シャーロックは前に進みでて、意識を失っている男の肩をかかえた。ブロンドの男は後ろにさがって道をあけた。屋根の角の先の窓までは、狭い軒びさしを伝っていかなければならない。足を踏みはずしたら、地面に落ちてしまう。

なんとか開いた窓までたどりつくことはできた。だが、男の体は重く、窓のなかにいれるのはたいへんで、すぐに全身が汗まみれになった。まずは男の体の半分を窓に押しこみ、それから自分が部屋のなかにはいり、そこから男の体を引っぱらなければならない。

そのあいだじゅう、もうひとりの男は拳銃をかまえていた。

そのとき、とつぜん後ろから手がのびてきて、意識を失った男の体をつかんだ。

それから甲高い声が聞こえた。

「おれが連れていく」

シャーロックは驚いて、後ろをふりむいた。四人目の男がすぐ後ろに立っている。ずんぐりむっくりの体で、頭ははげている。右の耳が少し欠けている。

シャーロックがあとずさりすると、その男は意識のない男の体を引きずって廊下に出た。そして、その向こうの部屋にはいった。ドアはあけっぱなしで、鍵穴には鍵がささったままになっている。窓には鉄格子がはまっている。男は意識のない男をベッドに運びあげた。

ブロンドの男は拳銃を持って戸口に立っていた。

「ギルフィランは?」

「頭を怪我している。目を覚ましたときには、痛くてのたうちまわるはずだ。でも、心配することはない。あいつの頭蓋骨は特別だ。おそろしく頑丈にできている。あの程度じゃ、びくともしないさ」

「できれば、ひびのひとつもいれてやりたいところだよ。ほんとにドジな野郎だ。なんであんなに簡単にやられてしまうんだろう。もう少しで計画が台無しになるところだった。いまここでブースに騒がれちゃまずいんだ。しかも、あんな状態で」

ブース! 平静を装わなければならないことはわかっているが、興奮をおさえることはできない。あの男はジョン・セント・ヘレンではなく、ジョン・ウィルクス・ブースなのだ。

ブロンドの男は拳銃をシャーロックのほうに向けた。

「そしてこんどはこのガキだ。まさか目撃者があらわれるとは思わなかったよ」

はげ頭ははじめてシャーロックを正面から見た。

「どうするつもりなんだ、アイブズ」

アイブズと呼ばれた男は肩をすくめた。

「選択の余地はない」

はげ頭は急にむずかしい顔になった。

「相手は子どもじゃないか。逃がしてやったらどうだい」

それからシャーロックのほうを向いた。

「どうだ、小僧。おまえはなにも見てないんだろ」

おびえたふりをするのは、そんなにむずかしいことではなかった。シャーロックは神妙な口調で答えた。

「見てません。見たことは忘れます。ほんとです」

アイブズは聞いていなかった。

「ブースの具合は?」

「薬がきいている。あと数時間は目を覚まさないだろう」

アイブズはうなずいた。

「だったら、時間は十分にある」

「なにをする時間だい」

アイブズは銃口をシャーロックの顔に向けた。

「こいつを殺して、死体を埋める時間だ。覚えておけ。ルールその一。顔を見た者は生かしておくな」

⚜ 4 ⚜

シャーロックは身震いした。このままだと、ふたりに殺されて、ジャガイモの皮が詰まった袋のように投げ捨てられてしまう。逃げるとすれば、どこから逃げたらいいのか。そう思って、まわりを見まわしたが、アイブズは戸口をふさいでいるし、もうひとりの男は窓からそんなにはなれていないところに立っている。なんとか窓の前までたどりつけたとしても、そこからどこへ行けばいいというのか。ふたりはすぐに追いかけてくる。ここは三階だし、相手は拳銃を持っている。逃げおおすことはできない。

とりあえずは時間かせぎをするしかない。

「誓ってもいい。ぼくはなにも見ていない」

「そんなうそがおれに通用すると思ってるのか、小僧」

アイブズは廊下に出て、シャーロックについてこいと手ぶりで命じた。

「こっちへ来い。ぐずぐずするな」

それから、はげ頭の男のほうを向いて言った。

「バール、ブースのつぎはギルフィランの面倒をみてやってくれ。起こして、傷の手当をするんだ。いつまでも眠らせておくわけにはいかん。ここに長居をするのは危険だ。だれかがにおいを嗅ぎまわっている。この小僧だってそうだ。ボールをさがしてうろついていたわけじゃない。おれたちの様子をさぐりにきたんだ」

アイブズの話しぶりからして、バールと呼ばれた男には医療の心得があるのだろう。

廊下に出たところで、シャーロックはふりかえって、バールに言った。

「お願いだ。このままじゃ、ぼくは殺されてしまう」

シャーロックは訴えたが、バールは目をあわせようとしなかった。ベッドの上に横たわっている男のほうを向いたまま、小さな声で言った。

「悪いな、小僧。こっちにもいろいろと事情があるんだ。アイブズの言うことにはさからえない。つまり、おまえは死ぬしかないってことだ。おれにはなにもできない」

それから少し間があった。バールはドレッサーのほうを向いて、なにかを見つめている。

「あれはどうするんだ、アイブズ」

「あれって?」

バールは手をのばして、ドレッサーの上にあった小さなガラス瓶をとった。口には、ふたがわりに布がかけられ、紐で縛られている。その布には、ナイフの鋭い先端で突きさしたような小さな穴がいくつかあいている。子どもが虫を飼うときに使うものと同じで、そうしておけば、虫は逃げないし、空気がはいってくるので、死ぬこともない。だが、そこにある瓶のなかにはいっているのは、虫ではない。ぬるっとした赤いもので、臓物の断片か血のかたまりのように見える。

アイブズはしぶしぶといった感じでそこに目を向けた。

「もちろん持っていく。デュークにとっては、とても大事なものだ。ブースと同じくらいに」

バールは信じられないといった顔をして瓶をふった。

「まだ生きているのか」

「そう願いたいね。ボスのご機嫌をそこねたら、どんなことになるかわからない。それはわざわざボルネオから持ってこさせたものだ。まえにこんな話を聞いたことがある。あるとき、使用人がミント酒の瓶をベランダに落っことしてしまったんだ。デュークはじろっとにらみつけただけで、なにも言いはしなかった。なのに、使用人はぶるぶる震えながらあとずさりし、庭を横切り、ついには敷地のはずれを流れていた川に落ちてしまったらしい。まるで催眠術にかかったみたいに。それっきり、二度と姿をあらわさなかった。なんでも、その川にはワニがいるらしい。本当かどうかは知らないけどね」

バールは信じていないようだった。

「そういうときのためのものは別にいる。殺したいときには、それを使うはずだ」

アイブズは首をふった。

「わからないぞ。そのとき、そいつらは腹がへってなかったのかもしれんしな。でも、そんなことはどうだっていい。とにかく、それは国へ持ってかえらなきゃならない」

アイブズは拳銃をシャーロックの背中に押しつけて、階段のほうへ歩いていかせた。

「ぼくをどうするつもりなんだ?」と、シャーロックは聞いた。

「撃ち殺しはしない。よほどのことがないかぎり。頭に鉛の玉を撃ちこまれた子どもの死体が見つかったら、警察は捜査に乗りだす。四人の外国人が住む家に疑惑の目を向けられるのは避けられない。薬を使うという手もあるが、それもちょっと考えものだ。薬はブースのためにとっておかなきゃならない。としたら、口にボロ布を突っこんで、窒息させるというのは? たぶんそれがいちばんだ。それなら、あとは残らない。他殺には見えにくい。この少し先に採石場がある。地面にはいたるところに大きな穴があいている。死体に布をかけて、荷馬車でそこへ運び、その穴のなかに投げ捨てれば、死体が見つかることはまずない。たとえ見つかっても、心配することはない。足を踏みはずして、そこに落ち、頭を強く打ったと警察は考えるはずだ」

「それってそんなに大事なことなのか」

「どういうことだ」

「おじさんたちがここでしていることだよ。ぼくを殺さなきゃならないくらい大事なことなのか」

　アイブズは笑った。

「いつかは見つかるだろう。いつかは世界中に知られるときがくる。おれたちが知らせるんだ」

　階段の上で、アイブズは下におりろと身ぶりで命じた。シャーロックは仕方なしにその言葉に従った。どこかで逃げださなければならないが、いまはだめだ。いま逃げようとしたら、まちがいなく撃ち殺される。死体をこっそり処分する方法は、いくらだってある。外に出てからのほうが、逃げるチャンスはあるはずだ。

　階段をおりはじめたとき、靴の底になにかがあたるのがわかった。階段に敷かれた絨毯の上になにかがある。こっそり足もとを見ると、一本の紐が階段を横切り、手すりのすきまをこえて、板張りの壁伝いに下にのびている。さっきそれを踏みつけたということは、そのときには絨毯の上にあったということだ。それがいまは中空にぴんと張っている。

アイブズの足が紐に引っかかった。だが、体はなおも前に行こうとしている。目がこっけいなくらいに大きく見開かれ、体が前につんのめる。なにかにつかまろうとして、両手をばたつかせたとき、右手に持っていた拳銃が壁にあたって落ちた。シャーロックがとっさにわきに寄ったとき、アイブズの体が肩から階段の途中に倒れ、ぶざまなかっこうで下まで転がっていった。そして、そこの絨毯の上に大の字になって横たわると、そのまま動かなくなった。

シャーロックは階段のなかばあたりから手すりの向こうに目をやった。下の物陰のなかに、マティの姿があった。紐の片方のはしを握っている。その紐は手すりをこえて、階段を横切り、壁と幅木のすきまにさしこまれた太い大きな釘にくくりつけられている。

胸はドキドキしていたが、シャーロックは冷静に言った。

「釘がぬけなくてよかったよ。あの男の体重で釘がぬけていたら、きみもただじゃすまなかっただろう」

「いいや。釘がぬけて困るのは、おまえだけさ。おれは関係ない。あの男はおれがここにいるってことを知らなかったんだから」

階段をおりると、シャーロックは腰をかがめて、アイブズの様子をたしかめた。額が赤く腫れあがっている。意識はないようだが、用心のため拳銃は拾って持っていくことにした。

　マティが近くに来て言った。

「おまえはここの家とどんな関係があるんだ」

「どうしてそんなことを聞くんだい」

　マティは階段の上に目をやった。

「これからもおれはおまえの面倒をみなきゃならないからさ。上でなにがあったんだ。おまえはいきなり家のなかに引きずりこまれた。そのあと、ふたりの男が荷馬車に乗ってやってきた。すると、こんどはおまえとふたりの男が屋根の上に姿をあらわした。男のひとりは、なんと拳銃を持ってるじゃないか。それで、ほうっちゃおけないと思ったんだ。いつだって、おまえはすぐにとっつかまってしまう。ひとりで逃げだせたためしはない。その場しのぎの作り話もできない」

「その作り話のせいで、いつもつかまってしまうんだよ。ところで、その紐はどこにあったんだい」

「いつもポケットにはいってる。なにかと役に立つからね」

「まあいい。とにかくここを出よう」

「下にもうひとり男がいる。おれが見たときは床に倒れてたけど、いまはもしかしたら目をさましているかもしれない。気をつけなきゃ」

ふたりは静かに階段をおり、一階の応接室を横切った。アイブズがギルフィランと呼んでいた男はまだ床の上でいびきをかいている。そのわきを忍び足で通りすぎ、玄関のドアをぬけて、通りに出ると、馬をつないであるところまで駆けていった。

馬にまたがりながら、マティは聞いた。

「知りたかったことはわかったのかい」

「わかったと思う。あの家には四人の男がいて、そのうちの少なくとも三人はアメリカ人だ。ほかのひとりは話をしていないからわからない。ひとりはジョン・ウィルクス・ブースという名前の男で、どうやら気がふれている。もうひとりはその男の医者で、あとのふたりは見張りだ。ぼくが家に引っぱりこまれたとき、ふたりは食料の買いだしかなにかで外出していて、家のなかに見張りはひとりしかいなかった。ブースはその男をなぐって気絶させた。ぼくを家に引っぱりこんだのは、ぼくがやつらの陰謀に加担していると思ったからだろう」

「そいつらはイギリスでなにをしようとしてるんだ」

「よくわからないけど、なにかをたくらんでいるのはたしかだろうね。彼らがイギリスに来たのは、精神に傷を負った暗殺者の療養のためじゃない」

「暗殺者？」

「そう。でも、くわしいことはホームズ荘に着いてから話すよ」

ファーナムまでは一時間の道のりだった。ホームズ荘に近づけば近づくほど、気は重くなるばかりだった。兄のマイクロフトやクロウ先生に今回のことをどう説明すればいいのか。こっそりと家を調べるつもりだったのに、結果的には見つけられて、相手に警戒心を抱かせることになってしまったのだ。少しでも分別があれば、あの家に近づこうとはしなかっただろう。

ホームズ荘に着いたとき、マイクロフトの馬車はまだ屋敷の前にとまっていた。

「じゃ、あとはまかせたぜ」と、マティは言った。

「どういう意味だい、あとはまかせたって？　寄っていかないのか」

「まさか。おれはクロウ先生が苦手なんだ。おまえの兄きはおっかないしね。おれは舟にもどる。話はあした聞くよ」

マティは馬の首をかえして走りさった。

シャーロックは深呼吸をして広間にはいり、図書室のドアをノックした。

兄の声がかえってきた。「どうぞ」

マイクロフトとエイミアス・クロウは部屋のすみにある細長い机にならんですわってい

た。その前には何冊もの本が積みあげられている。歴史書、地理学書、哲学書、それに三冊の大きな地図帳。開いたところには、いずれもアメリカの地図が出ている。

「なにかあったようだな。相手は同年代の子どもじゃないな」

マイクロフトはシャーロックをじろじろと見つめた。

クロウが付け加えた。

「イギリス人でもない」

マイクロフトはシャーロックの靴に目をやった。

「実際のところ、相手はふたり。ひとりは精神に異常をきたしている」

「ふたりは拳銃を持っていた」と、クロウは言った。

シャーロックはあっけにとられて話を聞いていた。

「どうしてわかるの？」

マイクロフトは手をふった。

「そんなことはどうだっていい。そんなことを話している時間もない。大事なのは、どこで、なぜそんな目にあったかだ」

シャーロックは観念して、なにがあったのかを包み隠さず話した。話しおえたときに、ズボンの後ろのポケットにアイブズの拳銃がはいっていることを思いだしたので、それをとりだして、机の上に置いた。

クロウは穏やかな口調ではじめた。

「コルトの軍用モデルだ。四十四口径、撃鉄から銃口までの長さは約三十五センチ。全部で六発の弾丸をこめることができる。有効射程距離は約百メートル。コルト・ドラグーンにかわってアメリカ陸軍の公式銃に採用された」

それから、こぶしを机にたたきつけた。机の上の拳銃が飛びあがる。

「いったい全体なにを考えているんだ。きみがあの家へ行ったために、連中は危険を察知し、大急ぎでどこかに雲隠れしようとするはずだ」

シャーロックは唇をかんだ。

「家を見にいっただけなんです。少しでも役に立ちたいと思って」

「なんの役にも立たない。これは大人の世界のことなんだ。きみにはそれだけの知識も能力もない」

クロウの話にまじるアメリカなまりは、いつもよりずっと強い。それだけ怒っているということだろう。身がすくむような思いだった。世界でもっとも尊敬している三人のうちのふたりを落胆させてしまったのだ。あやまろうとしても、口がからからに乾いていて、声が出てこない。

マイクロフトの顔に浮かんだ表情は、怒りより失望のほうが大きかった。

「部屋にもどっていなさい、シャーロック。もう少し冷静に話ができるようになったら呼ぶから。わかったな」

はずかしさで頬が焼けるようだった。シャーロックはふりかえって、部屋から出た。

広間は午後の日ざしで息苦しいくらい暑かった。シャーロックは立ちどまり、うなだれ、気持ちがおちつくのを待った。階段をあがって自分の部屋まで行くだけの気力がなかなかわいてこない。胸が痛い。

そのとき、物陰から声が聞こえた。

「お目玉を食ったみたいね」

顔をあげると、エグランタイン夫人が階段の下から出てきた。口もとには、意地の悪そうな笑みが浮かんでいる。動くと、黒いドレスの裾が床にすれて、遠くの部屋でだれかがささやいているような音をたてた。

「そんな口のきき方をして、よくこの家の家政婦がつとまりますね。ぼくが雇い主だったら、とっくの昔にあなたをクビにしていますよ」

もう失うものはなにもない。この日は、なにをしたって、これ以上悪くなりようがない。

予想外の反応だったらしく、エグランタイン夫人の顔から笑みが消えた。

「あなたはこのお屋敷でなんの権限も持っていません、シャーロック坊ちゃま。このお屋敷を切りもりしているのはわたしです」

「いまのところはね。シェリンフォードおじさんとアンナおばさんには子どもがいないので、この屋敷はいずれぼくの父方の血筋の者にゆずられることになる。だから、言葉づかいには気をつけたほうがいいですよ、エグランタインさん」

返事がかえってくるまえに、シャーロックは階段をあがりはじめていた。二階の踊り場まで行って、そこから下を見おろすと、エグランタイン夫人はまだそこにじっと立っていた。

部屋にはいると、ベッドに寝ころび、片方の腕で目もとをおおった。考えなければならないことは多い。自分はいったいなにをしようとしていたのか。兄からもクロウ先生からも、手出しをするなと言われていた。なのに、いったいなんのためにあんなことをしたのか。

いつのまにか眠っていたにちがいない。ふと気がつくと、部屋にさしこむ光の量が変わっていた。不自然な角度で顔にあてていた腕がしびれている。急に空腹感を覚えたので、立ちあがって、ゆっくりと階段をおりていった。

メイドが夕食の準備をしているところだった。ちょうどそのとき、兄が図書室から出てきた。クロウ先生の姿はない。

マイクロフトはシャーロックにうなずきかけた。

「気分はどうだい。多少はよくなったかい」

「あんまり。本当にバカなことをしたと思ってるよ」

「これがはじめてでもなければ、最後でもないだろう。でも、失敗をしたら、そこからなにかを学びとらなきゃならない。最初の失敗は言いわけがきく。でも、それをくりかえすのは愚の骨頂だ」

メイドのひとりが小さなゴングを持ってダイニング・ルームから出てきた。ふたりには目をあわせようともせずゴングをひとつ鳴らすと、そのままダイニング・ルームにもどっていった。

「行こう」と、マイクロフトは言った。

そのすぐあとに、おじとおばがダイニング・ルームにはいってきた。食事中、おじは兄とずっと話をしていた。話題は、旧約聖書のギリシア語訳とラテン語訳がどこまで正確かという問題について。おばはふたりの会話を無視して、とりとめのないことをひとりでしゃべっていて、ふたりの話にいきなり割ってはいることも何度かあった。兄はそのたびに礼儀正しくふりむいて、意味不明な質問にていねいに答えていた。

シャーロックは食べるのに専念し、窓ぎわのいつものところにいるエグランタイン夫人とは視線をあわせないようにした。

食事がすむと、おじとおばは玄関までマイクロフトを見送った。

「きみのギリシア語は完璧だ。ラテン語も文句のつけようがない。楽しい議論だったよ。もちろん、きみの旧約聖書の知識は完璧なものじゃない。それでも、きみはわたしの主張をもとに驚くべき推論を展開してみせた。初期の教会についてのきみの意見については、あとでゆっくり考えてみるよ。また近いうちにぜひ来てくれたまえ」

気むずかしいおじにしては、最上級の賛辞だ。驚いたことに、おばが前に進みでて、マイクロフトの腕を握った。

「いつでも歓迎します。わたしはとても悲しく思っているんです。できることなら……できることなら、一族のあいだで憎みあいたくありませんでした」

マイクロフトはやさしく答えた。

「あなたの思いやりがあれば、どのような困難でも乗りこえることができます。シャーロックの面倒をみてくださっていることが、そのあかしです。亀裂は補修するのではなく、消し去らなければなりません」

そして、広間の物陰にちらっと目をやった。シャーロックもそっちのほうを向いた。目の錯覚かもしれないが、黒いドレスを着た人影が見えたような気がした。

　マイクロフトは声を低くした。

「でも、ここには、ぼくたちにあまり友好的でない人物がいます。その人物が必要以上に大きな権限を持ちすぎているような気がするのですが、いかがでしょうか」

　おばは悲しげに目をそらした。

「それはわたしたちの問題です。現状でなにかさしさわりがあるとは思っていません」

　マイクロフトは後ろにさがった。

「わかりました。では、ぼくはこれで失礼します。駅までシャーロックを連れていっていいでしょうか。駅からは辻馬車で帰らせますから」

　おじが同意のしるしに手をあげた。

「もちろん、かまわないよ」

　馬車が通りに出たとき、シャーロックは後ろをふりむいた。

　軒先には三つの人影があった。シェリンフォードおじさん、アンナおばさん、そしてもうひとりはエグランタインさんだ。偶然なのかどうかわからないが、エグランタインさんは石段のいちばん高いところに立っている。

　通りは穴ぼこだらけで、大きな石もあちこちに転がっていて、馬車はその上を通るたびに跳ねながら進んだ。

「ぼくに話があるってことだね」と、シャーロックは言った。

「そうだ。クロウ先生の家に寄っていこうと思っている。三人で話しあおう」

馬車は田園地帯を走りつづけた。

顔にやけどのあとのある男につかまれた髪の生えぎわは、まだひりひりしている。手をのばして、そこの髪をそっと引っぱってみると、涙が出るほどの痛みを感じたが、髪はぬけなかった。よかった。

十分もしないうちに馬車は速度を落とし、潅木のしげみの上に草ぶき屋根が見えた。馬車が石壁の門の前でとまると、マイクロフトは言った。

「行こう。クロウ先生が待っている」

家のドアは開いていた。マイクロフトはノックをし、だが返事を待たずに家のなかにはいっていった。

エイミアス・クロウは暖炉のそばの椅子にすわって葉巻を吸っていた。

「やあ、ホームズ君」

「すみません。おじゃまします、クロウ先生」

「遠慮することはない。かけたまえ」

マイクロフトは部屋にあったもうひとつの椅子にすわり、シャーロックは火のはいっていない暖炉のそばのスツールに腰かけた。まわりを見まわすと、部屋はあいかわらずの散らかりようだった。木のマントルピースの上には、ナイフを重しにした手紙の束が積みあげられている。暖炉のそばの床には、葉巻がつめこまれたスリッパが一足転がっている。壁には近辺の地図が画びょうでとめられている。あちこちに線や丸が描かれているが、そのなかには壁のしっくいまではみだしているものもある。

シャーロックは思った。バージニアはどこにいるのだろう。家のなかに気配はない。大人の会話だからといって自分の部屋にこもっているような内気な女の子ではない。そういえば、愛馬のサンディアの姿もなかった。いつものように野原を走りまわっているのだろう。

クロウはマイクロフトに酒をすすめた。

「シェリー酒はどうだね。わたし自身は好きじゃないが、客用に置いてあるんだ」

「いいえ、けっこうです。ぼくもシェリー酒は好きじゃありません。ブランデーがあればありがたいんですが」

それから、シャーロックのほうを向いて言った。

「フランスにはワインとブランデーがあり、イタリアにはグラッパがある。ドイツにはビール、スコットランドにはウイスキー、イングランドにはエールがある。だが、アメリカはまだ独自の酒をつくりだせていない」

マイクロフトは酒のことを言いたいのではなく、もっとこみいったことを比喩的に言おうとしているみたいだった。クロウはそれを軽く受け流した。

「メキシコではサボテンから酒をつくっている。テキーラと言うんだ。なんならそれをアメリカの酒にしてもいい」

「それより、どうだったんです。なにか見つかりましたか」

クロウは肩をすくめた。

「家は見つかったが、蛻のからだった。あわてて出ていったようだ。近所の農夫が出ていくところを見ている。全部で四人。ひとりは眠っているようで、もうひとりは頭に包帯を巻いていた。あとのふたりは苦虫をかみつぶしたような顔をしていたらしい」

「つまり、逃げられたってことですね。そのうちのひとりがジョン・ウィルクス・ブースだという証拠は見つかりましたか」

クロウはまた肩をすくめた。

「シャーロックから聞いた話以上のことはなにもわかっていない。顔にやけどのあとがあるというのは納得がいく。ジョン・ウィルクス・ブースが最後に目撃されたのは、バージニア州の潜伏地で軍隊に包囲されたときのことだ。ブースは投降を拒否し、反撃に出た。それで、銃撃戦になり、ひそんでいた小屋が炎上した。おそらくオイルランプに弾丸があたって火が燃え移ったんだろう。焼けあとからは男の死体が見つかった。やけどがひどくて、顔かたちは見分けがつかなくなっていたが、軍はそれがブースだと断定した。でも、どうやら実際はちがったようだ。焼け死んだのは仲間のひとりで、ブース自身は逃げだすことに成功した。けれども、精神的な緊張状態は極限に達していた。暗殺、逃亡、火災。そういった一連のできごとに、神経が耐えられなかったのだろう。興味深いのは、ブースはいまなんらかの組織の庇護下にあるってことだ。逆に言うと、その組織はブースを必要としているということになる。シャーロックの話だと、ブースが使いものにならなくなっていることははっきりしている。としたら、なんのための存在なのか」

「表看板ということでしょうね」と、マイクロフトは言った。「南部ではリー将軍やジェファーソン・デービスにつぐ有名人です。アメリカには南軍の支持者がいまも大勢残っています。仲間たちを集めて、政府の転覆をくわだてようとする者にとって、ジョン・ウィルクス・ブースは人集めのかっこうの手段になります。秘密の集会に引っぱりだし、数発の銃弾で世界を変えることができると訴えさせたら、聴衆は熱狂します」

クロウはうなずいた。

「わたしもそれを心配している。気がふれているかどうかは関係ない。薬づけでもなんでもいい。舞台に立っていられさえすれば、あとはまわりの者がなんとかする……ところで、イギリス政府は今回のことをどんなふうに考えているのだろう」

「ぼくに政府を代表してなにかを言う権限はありません。でも、わが国の外務省がアメリカの現政権を歓迎しているのはたしかです。連合国の復活を望んではいません。奴隷制度は醜悪きわまりないものであり、即座に廃止しなければなりません。連合国の残党が政権を奪えば、リンカーン大統領とその後継者が押し進めてきた政策はすべて反故にされます。そんなことは許されません」

クロウはため息をついた。

「連中はアメリカへ帰るつもりなんだろうな。ほうってはおけない」

マイクロフトはうなずいた。

「電報を打っておきます。大西洋の向こうで一網打尽です」

クロウは首をふった。

「どの船に乗るかもわからないというのに?」

「乗客名簿を調べましょう。四人連れの男で、ひとりは病人です。偽名を使っていてもわかると思います」

「四人いっしょに動いているとはかぎらない。少なくとも、切符は別々にとるはずだ。ブースには看護婦をつけている可能性もある。そうとも。われわれは名前もわからないし、人相風体もはっきりしない者たちを追わなきゃならないんだ。でも、しかたがない。それがわたしの仕事だ。相手がだれであれ、なんとかしてさがしださなきゃならない」

「ぼくにまかせてください」と、シャーロックは言った。自分でも意外な言葉だった。「ぼくは彼らの顔を見ています。港に行って、乗客の顔をたしかめます」

「どこの港から乗りこむかもわからないというのに？」

クロウは言い、マイクロフトが付け加えた。

「サウサンプトンかもしれないし、リバプールかもしれない。クイーンズタウンということも考えられる。どんなに機敏な人間でも、ひとりで三つの港を見張ることはできないよ」

「でも……」

言葉は尻すぼまりになって消えた。クロウ先生がアメリカに帰ろうとしているのだ。いろんなことを教わり、そのおもしろさがようやくわかりはじめたところだというのに。クロウ先生がアメリカへ帰れば、当然バージニアもついていく。バージニアに対していだいている感情は自分でもよくわからない。少しおっかないが、その感情がこの先どんなところへ行きつくのかたしかめたいということもある。

でも、そんな自分勝手なことは言えない。いま問題となっているのは、アメリカという国家に対する巨大な陰謀なのだ。

またしてもとんでもないことが起きようとしているのだ。

マイクロフトとクロウは船の運行スケジュールや乗り降りする可能性のある港について話している。あまり興味深い話ではない。シャーロックの頭のなかにあるのは、どうすればエイミアス・クロウとバージニアがイギリスを去らなくてよくなるのかということだけなのだ。

5

しばらくしてシャーロックは言った。

「先生は彼(かれ)らの顔を知りません。追跡(ついせき)し、見つけたときに、本人だとどうやって判断するんです。やけどの男がどこかに隠(かく)れていたとしたら、あとの三人にそんなに目立った特徴(とくちょう)はありません。言葉がちょっとなまっているくらいです。でも、アメリカ行きの船がとまっている港に行けば、アメリカなまりの英語はいたるところから聞こえてくるはずです」

「人相風体はきみから教われればいい、シャーロック。きみには他人の顔を見分けるこつを教えてあったはずだ。耳の大きさとか、髪の生えぎわとか、目のかたちとか。きみの話をもとにして似顔絵を描いてもいい。バージニアは絵が得意なんだよ」

　マイクロフトが口をはさんだ。

「それでだいじょうぶでしょうか。どんなに観察眼の鋭い者でも、人間の記憶にはまちがいがつきものです。それは目撃者がそのときに置かれた状況によっても変わってきます。覚えていないことでも、頭のなかで細部を補って、それが真実だと思いこむというのはよくあることです。刑務所には、ひとりの人間のおぼろげな記憶によって投獄された無実の人間が何人いるでしょう。そうなんです。シャーロックの記憶もいくぶんかは割り引いて受けとるようにしないといけません」

　シャーロックは自分の記憶力に自信を持っていたが、なにも言わなかった。話はあきらかに自分が望んでいる方向に進みはじめている。それにあえて異をとなえるようなことをする必要はない。

　エイミアス・クロウとバージニアにイギリスを去ってほしくないという思いは強い。だが、兄もクロウ先生もこれまで見たこともないような真剣な顔をしている。これからなにが起きようとしているかは予想もつかない。たった四人の男に国を揺るがすような大それたことができるとは思えない。けれども、それが重要な問題であるのはまちがいない。そのことを考えたら、個人的な感傷など二の次三の次にしなければならないことは明白だ。なにかできることがあるなら、どんなにやっかいなことでも、それを優先させなければならない。

シャーロックはふと思いつき、つぎの瞬間にはそれを口にしていた。

「マティも見ている」

マイクロフトはふりむいた。

「どういうことだい」

「マティも見ているんだよ。四人のうち、少なくとも三人は見ている。ひとりはぼくが家のなかに引っぱりこまれたときに。ふたりはぼくを助けにきてくれたときに。残りのひとりは気を失っていたので、たぶん顔は見ていないと思う。ぼくひとりの記憶だけじゃ頼りないと言うのなら、マティを呼べばいい。ふたりの記憶をあわせたら、記憶はより正確なものになる」

クロウは同意した。

「それはそうだ。ひとりよりふたりのほうがいい。バージニアはマティが舟をとめているところを知っている。バージニアに呼びにいかせよう。ひとりよりふたりで人相書をつくったほうが、より正確なものができる」

クロウは椅子から立ちあがり、玄関口へ行って、ドアをあけた。

「来てくれ、バージニア」

しばらくそこで待ち、バージニアがやってくるのがわかると、部屋にもどってきて、椅子の横に立った。

バージニアが戸口に姿をあらわした。シャーロックを見ると、口もとに微笑が浮かんだ。いつも驚かされるのだが、バージニアはその体にいくつもの色を持っている。髪は赤く、日に焼けた肌は小麦色、頬と鼻にあるそばかすは薄茶色、瞳は紫に近い。バージニアに比べたら、ほかの女の子はモノクロのスケッチ画のように見える。

「どうしたの、パパ」

「頼みたいことがある。マティにいくつか質問をしたいんだ。迷惑はかけないからと言って、ここに連れてきてくれないか。馬に乗っていけば、時間はいくらもかからない」

バージニアはうなずいた。

「マティをサンディアに乗せて帰ってくるの?」

「そのほうが早い。マティは小さいから、ふたりで乗ってもだいじょうぶだろう」

シャーロックはマティをかばうように言った。

「体は小さいけど、けんかは強い」

「ああ、わかってるよ」

クロウは答え、それからまたバージニアのほうを向いた。

「さあ、急いでくれ」

バージニアはシャーロックのほうをちらっと見た。なにか言いたそうだった。いっしょに行くかどうかと聞きたかったのだろう。けれども、結局なにも言わずに、ふりかえって、家から出ていった。

しばらくして、サンディアがうれしそうにいななく声が聞こえた。手綱(たづな)の音がし、ひづめの音が固い土の上を遠ざかっていった。

クロウとマイクロフトはどうすれば四人のアメリカ人より早く大西洋を横断できるかという話にもどっていた。もちろん、それはどこでどの船に乗るかによる。ふたりの会話を聞いているうちに、新しくつくられた船のなかには、風で動くのではなく、蒸気の力で大きな車輪を動かして進むものもあるということがわかった。それは風の力をまったく必要としない。としたら、それで世界中どこへでも行けるということになる。もしかしたら、蒸気で動く車が通りを埋(う)めつくし、ロンドンからリバプールまで数時間で行けるようになるかもしれない。いや、それどころではない。蒸気で動く乗り物で月にまで行けるようになったりして……

だめだ。こんな愚にもつかないことを考えている場合ではない。シャーロックは頭をふって、マイクロフトとクロウの話に注意をもどした。

ふたりの話は多岐にわたり、しかもこみいっていて、ついていくのはたいへんだった。とくに政治の話はよくわからなかった。クロウがときどき戦死者や壊滅した町の例をあげて、むずかしい話をわかりやすく説明してくれなかったら、ちんぷんかんぷんだっただろう。

そうこうするうちに、馬の足音が近づいてきた。バージニアがマティを連れてかえってきたのだ。シャーロックは大急ぎで玄関口に向かった。

外に出ると、夕闇のなかをサンディアが走ってくるのが見えた。その上の黒い影はバージニアとマティのものだろう。シャーロックはほんの一瞬だけだがマティに嫉妬を感じた。

さらに近づくと、馬上の黒い影がふたつではなく、ひとつだということがわかった。それはバージニアのものだった。馬はシャーロックのすぐ横に来てとまった。バージニアは渋い顔をしていた。髪は風のせいで乱れ、もつれている。

「マティは?」と、シャーロックは聞いた。

バージニアは馬から飛びおり、シャーロックを押しのけて家のなかに駆けこんだ。シャーロックはそのあとにつづいた。

「さらわれたの！」と、バージニアは叫んだ。「マティをさらわれたの！」

マイクロフトは椅子から立ちあがった。

「どういうことなんだい」

「マティを連れて、ここに帰ってくる途中のことよ。木が倒れて、道をふさいでいたの。行くときはなかったのに。飛びこえようかと思ったけど、そのときはふたりでサンディアに乗っていたから、無理はしないほうがいいと思って、馬をとめ、木をのけることにしたの。そうしたら、木立のなかからふたりの男が飛びだしてきた。そこで待ち伏せしていたのよ。ひとりはマティの頭をなぐって、意識を失わせた。もうひとりはわたしに襲いかかり、髪をつかもうとしたから、わたしはその手にかみついて、男がひるんだすきにサンディアに飛び乗って逃げた。でも、マティは連れていかれた。途中でふりむいたとき、ふたりの男に連れていかれるところが見えたのよ」

その顔は真っ青で、血の気が失せていた。

「わたしはマティを置いてきてしまった。逃げずに助けるべきだったのに。引きかえそうともしなかった」

クロウは前に進みでて、バージニアを強く抱きしめた。

「いいや。そんなことをしたら、おまえも連れていかれていた。無事でよかったよ」

「でも、マティが……」

「助けにいこう。だれのしわざかははっきりしている」

そのとき、ガラスが割れる音がし、なにかが部屋に飛びこんできて床に落ちた。クロウは玄関のほうへ走っていき、ドアをあけた。外から、馬のひづめの音が聞こえた。クロウは大きな声でなにやら叫んでいる。意味はわからないが、たぶんののしりの言葉だろう。

シャーロックは腰をかがめて、窓から投げこまれたものを拾いあげた。こぶし二個分の大きさの石で、紙切れが紐で結びつけられている。

マイクロフトはシャーロックの手から石をとると、テーブルの上に置いて、すばやくナイフで紐を切った。

「結び目は残しておいたほうがいい。そこからどういう人間が結んだのかわかる場合がある。たとえば、船乗りとか。彼らは特殊な結び方をいろいろ知っている」

マイクロフトは紐を片側に寄せると、紙を石からはがし、テーブルの上でのばした。

「警告だ。〝息子はあずかった。われわれのあとを追うな。おとなしくしていたら、息子に危害は加えない。三か月ほどでかえしてやる。邪魔だてをしたら、容赦はしない。そのときは、数週間のうちに、われわれは息子を切りきざんでかえすことになる。わかったな〟」

クロウはまだバージニアを抱きしめていた。

「マティをわたしの息子だと思っているようだ。バージニアと同じ馬に乗っていたからだろう。マティの話し方を聞いたら、ちがうことはすぐにわかるはずだ」

「そうでしょうか」と、マイクロフトは言った。「彼らはあなたがイギリスに来てどれくらいになるのか知らないはずです。ひょっとしたら、アメリカ人であることさえ知らないかもしれません。少なくともしばらくのあいだは、マティの身に危害が加えられるようなことはないはずです。問題はこの警告をどう解釈するかです」

シャーロックは叫んだ。

「そんなことはあとまわしだよ。マティを助けにいかなきゃ」

「そのとおりだ。分析が先か行動が先か。いまは後者だ」

クロウは同意し、バージニアから腕をはなした。

「おまえはここにいなさい。わたしはマティをさがしにいく」

「ぼくもいっしょに行きます」

シャーロックは言い、クロウにだめだと言われるまえに付け加えた。

「マティはぼくの友人です。ぼくのせいでこんなことになってしまったんです。それに、ひとりよりふたりのほうが広い範囲をさがせます」

クロウはマイクロフトに目をやった。マイクロフトは黙ってこくりとうなずいた。

「よかろう。馬に乗りたまえ。行こう」

クロウは玄関口へ向かい、シャーロックはそのあとにつづいた。

シャーロックが外に出たとき、一頭の馬にはすでに鞍がついていて、クロウは二頭目の馬の鞍にとりかかっているところだった。シャーロックがその馬にまたがったときには、クロウの馬はすでに駆けだしていた。

シャーロックは馬の脇腹をかかとで押した。馬はすぐに走りだし、クロウのあとを追いはじめた。

日は西の空に沈みかけ、薄い雲におおわれて、赤い電球のように見えた。クロウの馬は前方を走っている。ついていくのは簡単ではない。馬のひづめが路面を蹴るたびに、衝撃が背骨に伝わってくる。揺れが激しいので、息もしにくい。

クロウはどこへ行けばいいかわかっているのか。マティをさらった連中がアメリカに行くつもりなら、サウサンプトンへ向かう可能性は高い。そう仮定すれば、道はおのずと決まってくる。が、かならずしもそうとはかぎらない。リバプールから船に乗るとすれば、ロンドンからそこまで汽車で行くはずだ。その場合、使う道は同じでも、方向は逆になる。理屈だとそうなる。だが、そこから結論が導きだされることはめったにない。たいていの場合は複数の答えが出てきて、そのうちのどれかを別の方法で選ばなければならない。たとえば、直感とか当てずっぽうとか。

家や小屋があっという間に後ろに走りさっていく。遠くの丘の中腹に、石づくりの建物が見えた。ファーナム城だ。風が音をたてて吹きすぎていく。地面から昼のうちに吸いとられた熱がわきあがってくるが、それでも風は耳が凍るくらい冷たい。

馬のひづめの音のこだまが聞こえたような気がした。けれども、まわりにこだまを起こすようなものはなにもない。ふりむくと、驚いたことにバージニアがすぐ後ろにいた。サンディアの首につかまるようにしている。目があうと、にこっと笑ったので、シャーロックもほほえみかえした。バージニアがおとなしくしていると思うほうがまちがいだった。なみの女の子じゃないのだ。

しばらくいったところに、数軒の家が寄りそうように建っている小さな村があった。人々はあわてて脇へ寄り、馬が走り去ったあと罵声を投げつけたが、一同はかまわず馬を走らせつづけた。

そこから先は、道がまがって見えなくなるところまで、猫の子一匹いなかった。この方角であっているとはかぎらないのに、クロウはいったいどこまで行くつもりなのか。

サンディアが横にやってきて、バージニアが横目でちらっとシャーロックを見た。そのとき、その目はきらきらと輝いていた。この切迫した追跡劇を楽しんでいるみたいだ。このような荒っぽい馬の乗り方をするのは今回がはじめてなのかもしれない。

前を行くエイミアス・クロウの大きな体の向こうに、馬車が見えた。車体を震わせながら疾走し、道をまがるときには、片側の車輪が浮きあがっている。御者はなにかにとりつかれたようにムチをふっている。きっとあの馬車だ。あの馬車にマティは乗っている。でないと、あんなにバカみたいにスピードを出すわけがない。命を危険にさらしてまで馬車を走らせなければならない理由はない。

シャーロックはさらに速度をあげた。それで距離が縮まると、前を行く馬車はさっきよりよく見えるようになった。二頭立ての四輪馬車で、車輪がわだちや穴ぼこやこぶの上を通るたびにバネがはずんでいる。

バージニアが横にやってきた。またちらっと見ると、口から白い歯がこぼれている。笑っているのではなく、うなっているようだ。

右側を見ると、そこにはクロウがいた。前方の馬車をきっと見すえている。その目には一瞬恐怖を覚えるほどの獰猛さがあった。以前は理論と事実をなによりも重んじる温厚な紳士だと思っていた。だが、バージニアの話だと、クロウはアメリカで悪党を追いかける仕事をしていて、ねらわれた者が生きて帰ることはめったにないらしい。いまのクロウを見れば、それが嘘でないことがよくわかる。こんな目をした男ににらまれたら、だれでもすくみあがってしまう。

クロウの馬は口に泡を吹いている。おそらくこれが精いっぱいのところなのだろう。泡は風によって後ろに吹き飛ばされている。

道は右にまがっていた。馬車はスピードを落とさなかったので、外側の車輪が地面から浮きあがった。一瞬引っくりかえりそうになったが、乗っている男たちがとっさに体を左側に移したらしく、車輪はふたたび地面についた。

追いかけているほうも同じようにカーブをまがった。馬は体を横に傾けて、足を踏んばっている。

そして、馬が体をまっすぐにしたとき、前方を走る馬車が牧草を積んだ荷馬車にぶつかりそうになっているのが見えた。荷馬車の男は必死に手をふっていたが、とても間にあいそうにない。結局は衝突を避けるため、荷馬車は道をはずれて溝に落ちた。馬車のほうは速度をゆるめず、荷馬車の後ろをかすめるようにして通りすぎた。

シャーロックとクロウとバージニアもそのあとにつづいた。荷馬車の男は荷台の上に立って、腹立たしげに叫んでいる。三人は無視して走りつづけた。
馬車の側面で奇妙な動きがあった。男が窓から身を乗りだし、棒のようなものを突きだしたのだ。はっきりとはわからないが、ゴダルミンの家にいた男たちのひとりだろう。棒のようなものの先端はこっちに向いている。と、そこからとつぜん火がふきだした。ライフルだ！

弾丸がどこへ飛んでいったのかはわからなかった。まわりは薄暗いし、馬車は激しく揺れている。銃のねらいを定めるのはむずかしい。が、たまたま三人のうちのだれかにあたらないとはかぎらない。

ライフルがまた火をふいた。こんどは弾丸がすぐそばをかすめていく音がした。怒ったスズメバチの羽音のようだ。

クロウは馬の速度をさらにあげ、馬車との距離をまた少し縮めた。片手で手綱を握り、もう一方の手で腰の拳銃をぬくと、馬車に向けて発射した。と同時に、その反動で手が後ろにはじかれ、鞍の上の体がよじれた。ライフルを持った男は馬車のなかに引っこんだ。弾丸があたったのか用心のためなのかはわからない。

ライフルを持った男がふたたび窓から身を乗りだした。さっきと同じ側だが、このときは後ろではなく前を向いていた。ライフルの銃口もそっちを向いていた。

また引き金がひかれたらしく、夕闇に南国の花のような火が浮かびあがった。馬車を引いている馬を撃ったのかと一瞬思ったが、そうではなかった。弾丸は馬の頭のずっと上を飛んでいった。馬をこわがらせてもっと速く走らせようというのだろう。効果はてきめんだった。馬車は急に速度をあげた。距離がどんどん開いていく。だが、そんなスピードで長く走ることはできない。馬はすぐにへばってしまう。なにか魂胆があるのだろう。

ライフルを持った男はふたたび馬車のなかに消えたが、それは一瞬のことだった。とつぜん扉が開いて、男は馬車から地面に飛びおりた。そこは葦が生い茂る川岸の土手で、男の姿はすぐに見えなくなった。が、葦の草むらには切れ目ができている。それを見れば、男がどっちの方向へ動いているかわかる。

クロウはとまどい、少し馬の速度をゆるめたが、つぎの瞬間にはまた速度をあげていた。男はほうっておいて馬車を追いつづけることにしたのだろう。

シャーロックは男の動きを見ていた。

男は葦の草むらからとつぜん姿をあらわした。手にはライフルを持っている。クロウが近づいていくと、ライフルをかまえ、慎重にねらいをつけて、引き金をひいた。

ライフルが火をふき、クロウは両手を上にあげて後ろ向きに倒れた。体が右肩から地面に落ち、土の上を何度も転がってようやくとまる。馬はそのまま走りつづけたが、せかす者がいなくなったので、ゆっくりと速度をゆるめ、しばらくして立ちどまった。

「パパ！」

バージニアは叫んで、手綱を引き、馬を急停止させた。そして、鞍から飛びおりると、父のほうへ駆けていった。その先にライフルを持った男がいることに気づいている様子はない。

男はライフルをかまえている。

すべてが数秒のあいだのできごとだった。シャーロックは馬の脇腹にかかとを押しつけた。馬は急に速度をあげて、バージニアのほうへ向かっていった。

「伏せろ」と、シャーロックは叫んだ。

バージニアはふりむき、馬が突進してくるのを見て、あわてて地面につっぷした。シャーロックが手綱を引くと、馬は空中を泳ぐようにしてバージニアを飛びこえた。

馬が着地したとき、また銃声があがった。

だが、シャーロックにはなにも聞こえていなかった。気がついたときには、鞍から投げだされ、馬の頭をこえていた。地面が目の前にせまってくる。まるで時間がとまったようだ。頭蓋骨が割れるのが先か、足の骨が折れるのが先か。無意識のうちに頭を両手でかかえこんで胸につけ、両ひざを腹に引きよせて、体を丸めたのがさいわいした。地面に落ちると、そのままころころと転がりはじめた。胸や背中や足に石が食いこむ。世界が何度も明るくなったり、暗くなったりする。

目がまわりそうだ。

永遠に転がりつづけるのではないかと思ったとき、ようやくとまった。ゆっくりと顔をあげて、まわりを見まわしたが、視界はぼやけている。体はまだ地面をころころ転がりつづけているような気がする。とまっているとわかるのは、手とひざが地面にあたっている感覚があるからにすぎない。胃にさしこみがある。吐き気がする。全身すり傷だらけで、焼けるように痛い。

馬車は土ぼこりの向こうに消えていた。

頭の上に影が落ちた。顔をあげると、ライフルを持った男が立っている。断定はできないが、仲間からギルフィランと呼ばれていた男のようだ。ゴダルミンの家で見たときには、ジョン・ウィルクス・ブースになぐられて気を失っていた。いまは頭に包帯を巻いている。目には憎悪が満ちている。

ギルフィランはライフルをかまえたまま聞いた。

「おまえはいったい何者なんだ、小僧。おまえのせいで、とんでもないことになってしまった。たちの悪さは北軍なみだ」

シャーロックは立ちあがった。

「友だちをかえせ」

男の口もとに残忍そうな笑みが浮かんだ。

「あと数分の命だというのに、やけに威勢がいいじゃないか。あのガキをさらえば、おまえたちはおれたちを追いかけるのをやめると思っていた。でも、思いどおりにはならなかった。それなら、あのガキにもう用はない。おまえたちを殺したあと、アイブズに電報を打って、すぐに殺させる」

ギルフィランはライフルの引き金から指をはずし、シャーロックに手の甲を見せた。親指と人さし指のあいだの肉の柔らかいところに歯型のようなものがあり、血が出ている。

「あの娘にかまれたんだ」

「かまれるようなことをしたからさ」

シャーロックは立ちあがるまえに地面から数個の石を拾って、手に持っていた。その手を背中から前に出し、すばやく投げつけた。石は頬と額と右目に命中し、ギルフィランはライフルを地面に落とし、両手で顔をおおった。

シャーロックはライフルをとろうとしたが、一瞬遅かった。手をのばしたときには、ギルフィランは足でライフルを蹴っていた。

そして、つぎの瞬間には、ギルフィランに髪をつかまれ、ひねりあげられていた。怒りと痛みのためにうなり声をあげながら、足を蹴りだすと、運よく向こうずねにあたった。

それで髪をつかんでいた手がはなれた。

シャーロックは後ろにさがって、ライフルをさがした。見つけたのはギルフィランと同時だった。ふたりは同時に地面を蹴った。シャーロックのほうが一瞬早く、ライフルの銃床をつかむと、すばやく横に転がって、ギルフィランとのあいだに距離をとった。

ふたりは荒い息をつきながら、しばらくそこに立っていた。ギルフィランは手の甲で口もとをぬぐった。

「おまえにそんな度胸はないさ。おれはおまえの手から銃を奪いとる。でも、撃ちはしない。銃身で首をおさえるだけで、おまえは息ができなくなり、あっさりあの世行きだ」

ギルフィランは前に進みでた。シャーロックはあわててライフルをかまえた。

「とまれ」

ギルフィランはさらに前に進みでて、顔を醜くゆがめ、泥で汚れた手をのばした。

⚜ 6 ⚜

選択(せんたく)の余地はない。シャーロックはライフルをかまえ、反動に負けないよう腕(うで)に力をこめて引き金をひいた。

なにも起こらなかった。弾丸(たま)が出てこない。

ギルフィランは勝ち誇(ほこ)ったように笑った。

「こわれたってことだな。そういうこともあるさ。あまり手入れをしていなかったからな。古いライフルってのは、ちょっとしたことで使いものにならなくなる」

ギルフィランはズボンのポケットに手を突(つ)っこみ、なにかをとりだした。手をふると、鋭(するど)い刃(は)が飛びだした。

「ナイフは万能だ。どんなときにでも役に立つ。てっとりばやさでは銃(じゅう)だが、楽しめるという点ではナイフのほうが上だ」

ギルフィランは前に進みでて、ナイフを横にふった。シャーロックは後ろへ飛びのいた。

刃先がまつげをかすめたとき、そこに冷たい風を感じた。夕日が刃先に反射していて、ナイフが引っこんだあとでも、目には赤い残像が残っている。

ギルフィランはまた前に進みでて、こんどは刃を上向きに突きだした。シャーロックはそれをライフルの銃床で防いだ。その衝撃であとずさりしたとき、手首をつかまれた。

「これでおしまいだ。もう容赦しないぜ。家畜のように切りきざんでやる」

逃げようとすると、こんどは耳をつかまれ、さらに引きよせられ、喉もとにナイフを突きつけられた。シャーロックは本能的にギルフィランとのあいだにライフルを立て、銃身が顔の前に来たとき、とっさに思いついて、それをそこにあった目に突っこんだ。

ギルフィランは悲鳴をあげ、顔を押さえてよろよろとあとずさった。指のあいだから血が流れている。だが、まだ倒れなかった。ギルフィランはもうひとつの目を大きく見開き、怒声をはりあげた。それは森中にひびきわたって、鳥たちを木々から飛びたたせるくらいの大きな声だった。

ギルフィランはナイフを突きだし、よろめきながら向かってきた。その頭にシャーロックはライフルをふりおろした。衝撃が銃床から手と肩に伝わってくる。ギルフィランの体はトウモロコシの袋のような音をたてて地面に倒れた。

シャーロックはなおも身がまえていたが、胸が上下するだけで、立ちあがって向かってくる気配はもうない。右目は陥没(かんぼつ)し、赤い肉の穴のように見える。頭の包帯からはまだ血がしみだしている。その下の肉が見る見る腫(は)れあがってくる。

この男は超人的(ちょうじんてき)な力を持っていて、痛みや傷などなんとも思っていないのかもしれない。また立ちあがって、もう一度攻撃(こうげき)してきそうな気がする。アメリカ人というのはみんなこうなのか。どこかで聞いたことがある開拓者精神(フロンティア・スピリット)なるものと関係があるのだろうか。ライフルでもう二、三発なぐっておいたほうがいいのかもしれない。そうすれば、もう立ちあがってこないだろう。この男がクロウ先生にしたことや自分にしようとしたことを考えれば、そうされても文句は言えないはずだ。

だが、結局はそうしなかった。そんなことをしたら、人殺しになってしまう。少なくとも故意にひとを殺すようなことをしてはいけない。

そう思って、ギルフィランから目をはなさずにあとずさりしはじめたとき、後ろから馬がいななく声が聞こえた。ふりかえると、クロウがぬかるんだ道の上に体を丸めて倒(たお)れていた。夕暮れの赤みを帯びた光に、額の血がくっきりと浮(う)きあがって見える。

「だいじょうぶかな。きみのお父さんは……」

最後までは言えなかった。

「息はしてるみたいよ」

バージニアは息をはずませながら、いつもより強いなまりで答えた。それからポケットに手をいれて、ハンカチをとりだした。父の額の血をふくためだろう。シャーロックはそれを自分の手にとった。

「川の水でぬらしてくる」

バージニアはうなずいた。

シャーロックは葦の草むらを横切って川べりに近づき、足もとに気をつけながらハンカチを水にひたした。もとのところにもどったとき、クロウはさっきまでのように体を丸めてはいなかった。バージニアが手足をのばしてやったらしく、もっと楽な姿勢で地面に横たわっていた。

シャーロックはそのわきにかがみこんだ。クロウの胸は上下に波打ち、まぶたはひくひくと痙攣している。クロウが馬から落ちてからずいぶん時間がたったような気がするが、実際はちがう。たぶん一分もたっていない。

バージニアは父の腕と足の怪我の具合を調べていた。

「手と足の骨は折れてないわ。でも、あばら骨はどうかわからない。二、三本折れてても、不思議じゃない。切り傷やすり傷は数えきれないくらいあるわ」

「運がよかったんだ。川に近いから、地面はぬかるんでいて、柔らかい。地面が固かったら、どうなっていたかわからない」

　バージニアはハンカチを受けとり、父の額をぬぐった。血がふきとられると、細長いすり傷が見えるようになった。血はまだとまっていなかった。

「弾丸がかすったのね」

　シャーロックは深く息を吸いこみ、手の震えをおさえた。

「運がよかった。ほんのちょっと左にずれていたら、こめかみにあたっていたところだよ。医者を呼ばなきゃ」

　バージニアは首をふった。

「うちへ連れてかえったほうがいいんじゃないかしら。この程度の傷の手当てなら、わたしでもできるわ。骨が折れてないとしたら、安静にしているのがいちばんよ。パパにとったら、この程度のことはなんでもないはず」

　バージニアはシャーロックのほうを向き、目をこらした。シャーロックがこぶやすり傷や切り傷やあざだらけになっているのに、このときはじめて気づいたのだ。

「だいじょうぶ?」

「ラグビーでもっとひどい怪我をしたことがあるよ」

　バージニアは眉を寄せて、首をふった。

「だから、ラグビーはきらいなんだ。苦手でもある。とにかく、ぼくだって、この程度のことはなんでもない」

「あの男は？　生きてるの？」

「気を失っているだけだ。きみのお父さんと兄さんはあの男から話を聞きだしたがっている。だから、手加減したんだよ」

「手加減なんかしなくてよかったのに」

クロウの頭の怪我のことが気になり、シャーロックは聞いた。

「きみのお父さん、頭には弾丸がかすっている。地面に頭を打った可能性もある。だいじょうぶかな」

「意識がもどっても、目まいや、吐き気や、むかつきがあるかもしれない。でも、いまは見守るしかないわ」

「心配ない。よくあることだよ」

言ったのは、クロウだった。小さいが、しっかりした声だった。

「残念ながら、たいていは自分のミスのせいだ。今回はそうじゃないけどね」

「パパ！」

クロウは目を閉じたまま、ぎこちない動作で手をのばし、バージニアの肩を軽くたたいた。

「だいじょうぶだよ。馬から落ちたときに、体を丸めて転がったから。アルバカーキのロデオの騎手に教わったんだよ。それより馬車はどうなった」

「逃げられました」と、シャーロックは答えた。

「馬車から飛びおりて、わたしを撃った男は？」

「気を失っています。連れてかえって、話を聞きだしましょう」

「ああ。そうしよう」

「縛って、ぼくの馬に乗せることにします。ぼくは歩いていきます」

「急がなきゃ。歩いてたら時間がかかるわ。わたしの後ろに乗ったら」

バージニアは言ったが、なぜか顔を赤らめていて、シャーロックを見ようとしない。

「でも……」

クロウは笑った。

「せっかくの厚意をむだにしないほうがいい。問題はこの男をどうやって縛るかだ」

シャーロックは考えた。ロープは持っていない。馬の手綱を使ったら、馬をあやつれなくなる。土手の葦で紐をつくっている時間もない。

「ベルトを使ったらどうでしょう。手を後ろにまわしてベルトで縛るんです」

クロウはうなずいた。

「それでもいい。あるいは、わたしのポケットにはいっている紐を使ってもいい。ナイフとマッチと紐。それは男の必需品だ。ナイフとマッチと紐があれば、たいていのことはできる」

シャーロックはクロウから紐を受けとり、ギルフィランが倒れていたところへ歩いていった。空はすっかり暗くなっていて、まわりがよく見えず、逃げられたのではないかと思ったが、だいじょうぶだった。ギルフィランはさっきと同じところに倒れていた。その手を背中にまわし、手首を交差させて縛ると、道ばたで草を食べていた馬を引っぱってきた。

どうすれば、ギルフィランを立ちあがらせて、馬に乗せることができるか。とりあえず、地面にかがみこんで、上体をかかえあげ、その下に肩をいれた。それから頭を前に出し、ひざに力をいれると、なんとか立ちあがることができた。

だが、不安定で、足はよろけている。どうやって馬に乗せたらいいかわからず、一瞬あせったが、すぐにバージニアが助けにきてくれた。ふたりだと、ギルフィランの体を馬の鞍の上に横たえるのは、そんなにむずかしくはなかった。その体が馬から滑りおちないようにするため、手首を片方のあぶみに、足首をもう一方のあぶみに縛りつけ、それがすむと、後ろにさがって、手ぬかりがないかどうかを確認した。

その横でバージニアが言った。

「まえから気になってたんだけど、あなたの馬にはなんていう名前をつけたの」

「なんにもつけてないよ」

「どうして？」

「意味がないから。名前があっても、馬は気づかないだろ」

「サンディアはわかってるわ」

「いいや、声がわかるだけだ。言葉はわかってないと思うよ」

「なんでも知ってると思ってるみたいだけど、あなたの知らないことはいくらでもあるのよ」

一行はゆっくりとした足どりでエイミアス・クロウの家へ向かった。クロウは前かがみになり、馬の首に寄りかかっている。シャーロックはサンディアに乗り、バージニアの背中に体をぴったりとくっつけている。いちばん後ろのシャーロックの馬には、ギルフィランの体が横たわっている。

帰り道は永遠につづくように思えた。疲労(ひろう)は厚い毛布のように重くのしかかっている。すり傷ができているところがひりひりする。ベッドにもぐりこんで、いつまでも眠(ねむ)っていたい。

クロウの家に着くころには夜はとっぷりと暮れていた。玄関口にはマイクロフトが立っていた。

「だいじょうぶか、シャーロック。いったい全体――」

マイクロフトは言いかけてやめた。その声はいつもより甲高いように感じられた。感情をけんめいにおさえようとしているのだ。

「だいじょうぶだよ。みんな生きてる。クロウ先生は撃たれたけど、大きな怪我はしていない。撃った男はつかまえた。マティをとりもどすことはできなかったけど」

シャーロックは馬からおりた。

「どうしたのかと思って、いろいろ打つ手を考えていたところだったんだよ。でも、事情がわからないので、どの手がベストか決めかねてね」

「もう汽車に乗ってなきゃいけないんじゃなかったの？」

マイクロフトは肩をすくめた。

「今夜はこの近くのホテルに泊まることにするよ」

「仕事は？　出勤しなくて、だいじょうぶなの？」

「たぶんだいじょうぶだろう。これは国際関係に大きな影響を与えかねない問題でもある。つまり、仕事のうちってことだ。さあ、なにがあったのか話してくれ」

シャーロックはバージニアの力を借りてエイミアス・クロウを馬からおろすと、気を失っている男を馬に縛りつけたまま、家のなかにはいった。そして、その夜のできごとの一部始終を兄に話して聞かせた。抜け落ちたところは、バージニアが補ってくれた。話がギルフィランともみあったところに来ると、バージニアは心配そうにシャーロックの腕を握りしめた。マイクロフトは眉間にしわを寄せて話を聞いていた。

話がおわり、一同がそれぞれの飲み物を持って椅子にすわると、マイクロフトは言った。

「どんな手を打てばいいかをこの段階で決めることはできない。急がなきゃいけないのはたしかだが、とりあえずはつかまえてきた男が目を覚ますのを待つしかない」

クロウが穏やかな口調で応じた。

「わたしが起こして話を聞きだそう。口を割らせるのはむずかしいことじゃない」

「無理強いはできません。たしかにあの男は犯罪者です。少なくとも二か国で法を破っている。それでも、有罪が確定するまでは人道的な扱いを受ける権利があります。たとえ犯罪者であっても、手荒に扱うことは許されません。もっとも古い文明国ともっとも新しい文明国のプライドにかけて、われわれには世界にお手本を示す義務があります。われわれが野蛮な行為をすれば、ほかの国の人間の野蛮な行為を非難できなくなります。世界は秩序を失います」

「手ぬるさのせいで、守らなければならない者が傷つけられたり、殺されたりしても?」

「それでもです。いかなる場合でも、われわれは高い道徳性を維持しなければなりません。安きに流れてはいけません」

「ふと思いついたんだけど……」と、シャーロックは言った。

なにかが盆の上のビー玉のように心のなかでころころと転がっている。それがどういう意味を持っているのかはよくわからない。

「なんだね」

「ギルフィランはぼくたちに追いかけてこられたので、馬車から飛びおりたわけですよね」

「そのとおりだ」と、クロウは言った。

「ギルフィランはあとで仲間たちに電報を打つと言っていた」

「それで?」

「その電報が来なければ、ギルフィランの身になにかあったということになる。ぼくたちが彼らのあとを追うのをやめていないということになる。としたら、マティはもう人質として役に立たない。つまり、殺されるってことになる」

「ひどい」と、バージニアがつぶやいた。

「ギルフィランはどこに電報を送るつもりだったのか。仲間たちが途中のホテルでギルフィランを待っているとは思えません。どこにも寄らず、まっすぐ港に向かったはずです」

クロウとマイクロフトは顔を見あわせた。短い沈黙のあと、クロウが口を開いた。

「筋は通っている。彼らはどこかで電報を受けとらなきゃならない。あらかじめ決めておいた場所があるはずだ。おそらく港の近くの郵便局だろう。そこで電報を受けとることになっているのだろう」

「決めたのは馬車から飛びおりる直前だから、そんなに時間の余裕はなかったはずです。でも、あわてて決めたことだから、忘れるといけないので――」

マイクロフトがあとを引きとった。

「メモを受けとったってことだ。よく思いついたな、シャーロック。ポケットにメモがはいっているかもしれない。調べてみよう」

「わたしが行く」

クロウは言って椅子から立ちあがり、マイクロフトの気むずかしげな視線に、こう付け加えた。

「心配しなくていい。意識がなければ、あえて起こす必要はない。目を覚ましていたら、ポケットをさぐるまえに失礼のないように断わりをいれることにするよ。無理強いはだめでも、こっそり盗むのはかまわないってことだろ」

「今回だけの特例処置です」

クロウが部屋から出ていくと、マイクロフトは丸っこい手をあげてシャーロックを呼び寄せた。

「ぼくはおまえの面倒をきちんとみてやれていない、シャーロック。兄としての義務がはたせていないってことだ。すまないと思ってる」

本気で言っているかどうかわからなかったので、シャーロックは兄の顔をじっと見つめた。

「どうしたの、急に」

「ぼくは父さんからおまえのことをまかされた。つまり、おまえが勉強をつづけられるようにするだけじゃなく、おまえが安全に快適に過ごせるようにもしなきゃならないってことだ。なのに、父さんがインドに行っているあいだ、おまえは一面識もない親類の家で暮らし、つい先日は愚かな妄想にとりつかれたフランス人の突拍子もない計画に巻きこまれ、いまはリンカーン大統領の暗殺者がらみの陰謀に巻きこまれかけている。おまえはこの数週間のうちにふつうの人間が一生のうちで経験するよりも多くの死を目撃した。そして、多くの危険な目にあった。なぐられたり、連れさられたり、ムチ打たれたり、薬をもられたり、追いかけられたり、銃でねらわれたり、やけどをしたり、剣で突かれたり。ロンドンの無法地帯やフランスの田舎町で、あるいはイギリス海峡の夜の荒波のなかで、あやうく命を失いかけた。こんなことになるとわかっていたなら、ぜったいに――」

感情がこみあげてきたらしく、マイクロフトは言葉をとぎらせ、顔をそむけた。シャーロックは兄の目に光るものを見たような気がして、その広い肩にそっと手を置いた。

「ぼくにとって、兄さんほど頼れる人間はいない。相談にいけば、どんなに忙しいときでも、かならず時間をつくってくれる。どんなに大事な用があるときでも、いやな顔ひとつしないで応じてくれる」

マイクロフトがなにか言いかけたが、シャーロックは話をつづけた。

「ぼくたちは庭でいっしょに木登りしたりするような兄弟じゃなかった。兄さんはそういう遊びにまったく興味を示さなかったし、それがどうしてなのかぼくにはよくわからなかった。でも、そんなことはどうだっていい。ぼくはいつも兄さんを見習ってきた。それはたぶん一生変わらない。ぼくは兄さんのような大人になりたいと思ってる。兄さんはけっしてぼくを失望させない。これまでもそうだったし、これからもそうだと思う」

マイクロフトはほほえんだ。

「大人になれば、おまえは世界のだれも通っていない道を自分で切りひらくようになるはずだ。ぼくがおまえに助けを求めたり、助言をあおいだりする日がかならず来る。実際のところ、ぼくはおまえが危険にさらされているときになにもしてやれなかった」

シャーロックは首をふった。

「どこにだって危険はあるよ、兄さん。それに気づかないふりをしているか、傷つかないように毛布にくるまっているだけだ。でなかったら、あえてそれに向かっていくしかない。気づかないふりをしても、危険を避(さ)けて通ることはできない。毛布にくるまり、暗闇(くらやみ)のなかで体を丸めていれば、世のなかに置き去りにされる。いちばんいいのは危険に立ち向かうことだ。危険とつきあうのに慣れたら、つきあい方がわかるようになる」

マイクロフトはほほえんだ。

「ぼくはちがう。ぼくは情報を集めて、知識をたくわえる。おまえは知識ではなく、知恵(ちえ)をつけている。おまえの名はいつかきっと世界中に知れわたるようになるだろう」

話がちょっと重くなりすぎたような気がしたので、シャーロックは話題を変えることにした。

「ここでは本当にいろんな経験をしたよ。馬に乗ったり、ボクシングをしたり、イギリス海峡(かいきょう)をわたったり、決闘(けっとう)をしたり。自分でも信じられないよ。学校の同級生たちが凧(たこ)あげをしたり、芝生の上でピクニックをしたりしているときに。目を覚ましたら全部夢だったということになるんじゃないかと、ときどき思うくらいだよ」

　マイクロフトはちらっとバージニアに目をやった。

「もうひとつ付け加えておかなきゃならないことがある」

「なんだろう」

「交友関係についてだ。ぼくについて言えば、ひとりでいることはぜんぜん苦痛じゃない。他人に対してそんなに寛大でもない。ブランデーを飲みながらひとりで本を読むのをなによりの楽しみにしている。でも、おまえがそのまねをする必要はない。人生のなかで、友情や愛情はひじょうに大切なものだ」

　シャーロックはマティのことを思いだし、急に暗い気持ちになった。

「ぼくは危険を受けいれられる。でも、友だちを危険に巻きこみたくはない」

「おまえにはおまえの考えがあるように、ひとにはひとの考えがある。理屈は同じだ。彼らはあやつり人形じゃない。危険に巻きこみたくないと思っても、つねに危険から遠ざけておくことはできない。友だちはおまえのそばにいたいからいるんだ。危険は承知のうえで。マティはわかっている。おまえといっしょにいると、退屈じゃないが、安全でもない」

「マティを連れもどせるよね」

「空手形は切れないよ。将来を知ることはできない。でも、知識と経験から、おおよそのところを予想することはできる。マティが無事に帰ってくる確率は高いと思う。ただし、その過程でなにが起こるかはわからない」

ドアが開き、エイミアス・クロウが部屋にはいってきた。手にくしゃくしゃになった紙切れを持っている。

「これがポケットのなかにはいっていた。なにが書かれているかはわからない。暗号になっているようだ」

「目を覚ましていましたか」と、マイクロフトは聞いた。

「気を失ったままか、気を失っているふりをしているかのどちらかだ。着ているものを簡単に調べてみた。デザインもラベルもすべてアメリカのものだった」

「メモを見てみましょう。どこに電報を送るつもりだったか、手がかりが得られるかもしれません」

クロウは机の上に紙切れをひろげた。マイクロフトとシャーロックはそのまわりに集まった。バージニアは後ろにさがったまま父を見ていた。

紙切れには一連の文字と数字が書きなぐられていた。疾走（しっそう）する馬車のなかで急いで書かれたもののようだ。五つの文字と数字がひとかたまりになったものが十個ならんでいる。

snes9 opst4 uose5 tsgrt htrnu
aoede mfaos pftcd tieka oca0y

シャーロックが聞くと、クロウはていねいに説明した。

「暗号には、置換式と呼ばれるものがある。内戦時にはメッセージが敵の手にわたったときのことを考えてひんぱんに用いられた。原理は単純だ。ひとつひとつの文字を別の文字に置きかえるだけだ。たとえば、aのかわりにz、bのかわりにyといった具合に。どの文字をどの文字に置きかえたらいいのかを知っていれば、だれでも簡単に解読することができる」

「でも、ぼくたちは知りません」

「ああ。もっと長い文章なら頻度分析でわかるかもしれない。でも、これはちがう」

「頻度分析?」

「個人授業をしている時間はないんだがね」

マイクロフトはため息まじりに行ったが、クロウはかまわず説明をつづけた。

「文字には使われる頻度が高いものと低いものがある。いちばん高いのがeで、つぎはt、三番目がa、それからo、nとつづく。逆に低いのはqとzだ。文字を置きかえられた長い文章があれば、そのなかからもっともひんぱんに出てくる文字を見つけだせばいい。ふつうは、それがeだ。そのつぎによく出てくるのはt。そうやってひとつひとつ文字を割りあてていく。たいていの場合は、それで文章全体の意味がとれるようになる」

クロウは目の前の紙きれに書かれたメッセージに目をやった。

「これが置換式なら、解読するのはむずかしいだろう。頻度分析ができるほどの文字数がないからね。でも、連中には文字をひとつひとつ置きかえていくような時間はなかったはずだ。この暗号はもっと単純なものにちがいない」

「単純って、どういうふうにです」

「五つの文字と数字のかたまりが十個ある。格子か表のように見える」

クロウは文字と数字のかたまりを縦にならべかえて紙に書いた。

s n e s 9

o p s t 4

uose5
tsgrt
htrnu
aoede
mfaos
pftcd
tieka
oca0y

「これを縦にではなく、横に読んだらどうなるか」
クロウは文字と数字を縦と横を逆にして、もう一度紙に書いた。

southampto
npostoffic
essgreatea
sterndock0

945tuesday

シャーロックは息をのんだ。

「サウサンプトン郵便局(southampton post office)。グレート・イースタン号(ss great eastern)。埠頭(dock)。〇九・四五、火曜日(tuesday)」

電報を送る場所と船の名前、そして船が出港する日時だ。

「ごく簡単な暗号だ。でも、走っている馬車のなかではこれが精いっぱいだったんだろう」

クロウはマイクロフトのほうを向いた。

「つぎになにをすべきか、これで決まったわけだ」

マイクロフトはうなずいた。

「すぐに手配します」

シャーロックはふたりの顔を交互(こうご)に見た。

「手配するって、なにを?」

マイクロフトはクロウと顔を見あわせ、それから答えた。

「彼(かれ)らはあすの九時四十五分にサウサンプトンから船に乗るつもりでいる。そこの警察の力を借りるためには、種々(しゅじゅ)の細かい手続きが必要になる。それがすむころには、船は港を出てしまっているはずだ」

「じゃ、逃げられてしまうんだね」

「そうでもない。アメリカ行きの船は毎日ある。われわれがあしたかあさって出港する船に乗れば、そんなに遅れをとるようなことはないはずだ。船の速度がはやければ、先まわりできる可能性もある。彼らは追われていると思い、一刻も早くイギリスを出たがっている。船を選んでいる場合じゃなかったはずだ」

「われわれって？　だれがそこへ行くの？」

「クロウ先生はどうしても行かなきゃならない。自分の国だから勝手はわかっているし、現地の警察の協力をあおぐこともできる。バージニアがひとりでここに残るということは考えられない。彼女も当然いっしょに行く。でも、ぼくは残る。最大限の外交的援助を与えることができるよう、イギリス政府に提出する報告書を作成しなければならないからね」

「ピンカートン社に電報を打って、グレート・イースタン号がアメリカに着いたときに、つかまえてもらうようにしたら？」

マイクロフトはあごの肉を揺すりながら首をふった。

「忘れたのかい、シャーロック。われわれは彼らの顔かたちを知らない。ひとちがいをしないという保証はなにもない。ジョン・ウィルクス・ブース以外は、おまえじゃないと、見てもわからない」

「ということは、ぼくもいっしょに……」

喉が詰まりそうだ。

「全員の顔を見ているのはおまえだけだ、シャーロック。こんなことをおまえに頼むことはできない。頼めるわけがない。ぼくに言えるのは、彼らを見分けることができなければ、彼らを逮捕することはできないということだけだ」

「ぼくにアメリカに行ってほしいってことだね」

「シェリンフォードおじさんとアンナおばさんには、おまえを社会見学のための旅に出すと言っておく。期間は一か月くらいになるだろう。ふたつ返事というわけにはいかないだろうが、なんとか説得することはできると思う」

シャーロックはホームズ荘に奇妙な影響力を持っているエグランタイン夫人のことを思いださずにはいられなかった。

「でも。ぼくをこの家から出すように説得するのは、兄さんが思っているよりずっと簡単だと思うよ」

7

サウサンプトンの埠頭はごったがえしていた。タラップをあがって船に乗りこもうとしている者もいれば、タラップをおりてきて、はじめて見る国に目を見張っている者もいる。友だちや家族に別れを告げている者もいれば、両手を広げて来訪者を迎えている者もいる。そのあいだを、制服姿のポーターが荷物を積みあげたカートを押して歩いている。頭にバンダナを巻いた作業員が貨物を木の台に積んだり、おろしたりしている。

その上にそそり立ってるのは、木のクレーンだ。網をかけた台を吊りあげて、船にのせたり、埠頭へおろしたりしている。その横で、木や鉄の船の舷側は絶壁のように見え、マストや煙突は森の木のように見える。

犯罪者もいたるところにいる。スリ、トランプのいかさま師、網を切ってなかの荷物を盗んでいる泥棒……

親からはぐれた子どもたちもいる。存在しないホテルを紹介されたり、ホテルまでの法外な運賃を要求されている者もいる。

この二十四時間は、シャーロックの人生でもっともあわただしいものになった。エイミアス・クロウの家でした話がきっかけになって、いまでも信じられないことに、とつぜんアメリカへ行くことになったのだ。マイクロフトといっしょにホームズ荘へ向かう途中には、ファーナムの町へ寄って、万事うまくいったという誤情報をアイブズとバールに伝えるため、サウサンプトン埠頭の郵便局へ電報を打った。ホームズ荘に着くと、マイクロフトが図書室でシェリンフォードと話をしているあいだに、自分の部屋に行って、父のおさがりの古いトランクに身のまわり品を詰めこんだ。夜はよく眠れなかった。ギルフィランとやりあった記憶や、ひりひり痛む傷あとのせいもあっただろうが、それ以上にあすアメリカへ行くという興奮のせいだ。朝食の席には気まずい雰囲気が漂っていた。おじもおばもかける言葉が見つからないようで、ずっと押し黙っていたし、エグランタイン夫人は背後で冷たい笑みを浮かべていた。

そのあと、マイクロフトといっしょに馬車に乗り、トランクが荷台に積みこまれると、馬はすぐにサウサンプトンへ向けて長い道のりを走りはじめた。

道すがら、シャーロックはクロウがギルフィランの服からとりだした暗号のメッセージのことばかり考えていた。これまで深く考えたことは一度もなかったが、暗号をつくったり、解いたりするときの論理的なプロセスは、自分の几帳面な性格に強く訴えかけるものがある。

世界にはいったいどんな暗号があるのか。きのう見たような文字をならべなおしただけの単純なものもあれば、もっと複雑なものも数多くあるにちがいない。文字を記号に置きかえるものとか、置きかえる方法そのものが毎回変わるものとか。その場合、最初のaとつぎのaでは、置きかえられる文字がちがってくる。そうなると、クロウ先生が説明してくれた頻度分析はなんの役にも立たなくなる。そういった複雑な暗号はどうすれば解くことができるのか。いつか調べてみよう。

サウサンプトンの埠頭に着くと、エイミアス・クロウとバージニアが待っていた。クロウは額の傷の上に小さな絆創膏をはり、白い帽子のつばで隠していた。ふたりはここまで馬で来ていた。馬は留守のあいだ近くの馬小屋にあずけておくとのことだった。

マイクロフトはクロウに書類の束をわたした。

「切符と渡航許可証です。船の名前はスコティア号といいます。もちろん一等船室です。三等船室では窮屈すぎますからね。あそこにとまっています」

マイクロフトがのばした手の先には、ラグビーの競技場と同じくらいの大きさの船があった。舷側に大きな外輪がついている。おそらく反対側にも同じものがついているのだろう。マストは二本で、帆はたたまれている。外輪は船内にある蒸気機関によって動くようになっているのだろう。二本の煙突はその蒸気を逃がすためのものだ。風があるときは、帆を張って進み、風がないときは、蒸気で外輪をまわして進む。

シャーロックの頭のなかで、理屈がひとり歩きをはじめた。

船の外輪が蒸気で動くとすれば、その蒸気をつくるために、船内で石炭を燃やさなければならない。大西洋のまんなかで石炭を補充するわけにはいかないから、船には大量の石炭が積まれている。ということは、それだけ余分な重量が加わるということであり、その分だけ余分な石炭がいるということになる。

としたら、一回の航海でどれくらいの石炭が必要なのか。それをどうやって計算すればいいのか。余分な石炭を積めば、それを動かすためにさらに余分な石炭が必要になる。その一方で、石炭はつねに消費されていくから、それだけ必要な石炭の量も減っていくことになる。よくわからないが、そこには複雑な数式があるにちがいない。数週間前にクロウ先生が聞かせてくれたキツネとウサギの話もそうだが、突きつめていくと、世界はすべて数式であらわされるようになるのではないか。

クロウはマイクロフトに礼を言った。

「いろいろありがとう、ホームズ君。わたしが支払わなきゃならない金額はどのくらいなものになるんだろう」

マイクロフトは手をふった。

「お気になさらずに。旅費はイギリス政府が立てかえておきました。来週アメリカ大使と会う予定になっています。そのときに、費用の一部の負担をお願いしようと思っています。なんといっても、これはあなたの国の内政問題であり、われわれはあなたの国を助けているわけですからね。とにかく、ニューヨークに着くまでは金銭的な心配は無用です。向こうに行けば、資金の問題はなくなると思います」

クロウはうなずいた。

「いずれにしろ、きみにはいろいろお世話になった」

シャーロックはクロウの横に立っているバージニアに目をやった。なんとなく浮かなげで、顔からは血の気がうせている。

マイクロフトとクロウが話をしているあいだに、シャーロックはバージニアの前に歩いていった。

「だいじょうぶかい」

バージニアはうなずいた。

「気にしないで」

「喜んでると思ってたけど。自分の国に帰れるんだから」

「気にしないでって言ったでしょ。どういう意味かわからないの」

シャーロックはなだめるように手をあげ、おずおずとあとずさりした。以前にも何度か思ったことがあるが、バージニアはこれまで会っただれよりも複雑な女性だ。

「グレート・イースタン号について、なにかわかったことは？」と、クロウはマイクロフトに聞いていた。

「けさ、この埠頭から出港して、ニューヨークへ向かいました。乗客名簿を調べましたが、われわれが知っている名前は見つかりませんでした。予約しているのに船に乗らなかった者が一名いたとのことです。おそらくギルフィランでしょう。いまはファーナムの警察署に拘束されています。きょうじゅうに身柄をロンドン警視庁に移すつもりです。そのほうが調べやすいので」

「あまり手荒なまねはしないように」と、クロウは軽口をたたいた。「まだ犯罪者と決まったわけじゃないんだからね」

マイクロフトは眉をあげたが、なにも言わなかった。シャーロックのほうを向くと、肩に手をかけ、もう一方の手でスコティア号をさした。

「初航海は六年前。イギリスのキュナード社という船会社が建造し、運航している。全長三百七十九フィート、総トン数三千九百トン。船長の名前はジャドキンス。もっとも信頼(しんらい)のあつい船長のひとりらしい。乗客定員は三百人で、貨物も運ぶ。一日の石炭の使用量は六十四トン。サウサンプトンからニューヨークまでを八日で結んでいる。信じられるかい？　アメリカまで一週間ちょっとで行けるんだ。開拓者(かいたくしゃ)が最初に移住したころには何か月もかかったというのに」

「兄さんは行ったことがあるの？」

マイクロフトは大きな体を揺(ゆ)すって笑った。

「アメリカに？　いいや。ぼくにとっては、サウサンプトンですら外国みたいなものだ。アメリカは北極に等しい」

マイクロフトはクロウのほうを向いた。

「荷物はポーターが船室まで運んでくれます。ふたつの部屋と三つのベッドを予約しておきました。ひと部屋は先生とシャーロックで使ってください。もうひとつはバージニアの部屋ですが、ほかの客と同室になると思います。同性ですが、だれかはわかりません。ただ、一等船室の客ですから、おかしな者はいないと思います」

「バージニアならだいじょうぶだろう」

クロウは答えたが、どことなく不安そうだった。

「それから、もうひとつ。今夜の夕食の席の手配もすませてあります。ある事情通の話だと、航海初日の夕食の席によって、船内での力関係がおおよそ決まるそうです。いちばんいいのは、船長のそばの席です。船酔いになったときのことを考えると、ドアに近い席が望ましく、騒音のことを考えると、機関室からもっとも遠い席がいいということになります。たった八日間の旅ですが、どうせならできるだけ快適に過ごせたほうがいい。もっとも、どんな快適な旅でも、ぼくはごめんこうむりますがね。最近は自宅から職場へ、職場からクラブへ移動するだけで、くたくたになってしまうんです。ぼくをこの日常から引きはなすことができるものはなにもありません」

クロウはほほえんだ。

「ひとを日常から引きはなすのは意外なものだ。それは驚くほど単純なことだったりする。きみも外国を旅すれば、新たな楽しみを発見できるかもしれないよ」

「まさか。冗談じゃありません」

出発の時間だった。シャーロックは手をさしだした。マイクロフトも同じようにした。ふたりは通りで出くわした紳士のように長い握手をかわした。

「元気でな」と、マイクロフトは言った。「クロウ先生の言うことをよくきくんだぞ。今回の旅ではおまえの役割はとても重要なものになる。彼らの顔を知っているのはおまえだけだ。少なくとも、彼らは犯罪者であり、犯罪者はとらえられ、裁きを受けなきゃならない。アメリカの政治的な混乱をあおるような陰謀がたくらまれているとすれば、それを食いとめなきゃならない。でも、せっかくの機会だ。旅を楽しんできてくれ。おまえのような年の者が外国へ行けることなんてめったにない」

マイクロフトはポケットに手をいれ、小さな本をとりだし、それをシャーロックにわたした。

「暇つぶしも必要になる。これはプラトンが書いた『国家』という本だ。師のソクラテスとの対話をまとめたもので、正義とはなにかを問題にし、正義をなす者と不正をなす者のどちらが幸せかといったことが論じられている。後世の哲学や政治理念にもっとも大きな影響をおよぼした著作のひとつだから、ぜひ読んだほうがいい」

「英語に翻訳されてるの?」

「いいや、ギリシア語のままだ。おまえは読むのがはやい。翻訳されていたら、半日で読んでしまうだろう。自分で訳しながらだと、読みおえるころには船旅はほとんどおわっているはずだ。それに、翻訳書は訳者の能力に左右されることが多いので、書かれていることをかならずしも正確に理解できるとはかぎらない。おまえが犯罪や怪奇現象に関心を持っていることは知っている。プラトンは長生きしたが、師のソクラテスは時の権力者から死刑を宣告され、毒を飲んで死んだ。そういったことを知っておけば、この本に対する興味も増すと思う」

「ありがとう。ぼくたちはすぐまた会えるね」

喉がつまった。それは明白な事実であり、質問のつもりで言ったのではなかった。けれども、マイクロフトは目をそらした。その目には光るものがあるように見えた。

「ぼくが子どもを持つことはたぶんないだろう。自己流の生き方に慣れきっているので、家庭を持つことで生じる変化には耐えられない。おまえはぼくの子どものようなものだ、シャーロック。愛している。気をつけて行ってきてくれ」

三人は埠頭から長いタラップを急いであがった。そのいちばん上で切符を見せたあと、係員に案内されて、木の階段をおり、窓のない廊下を通って、それぞれの船室に向かった。

まずはバージニアの部屋から。荷物はもうすでに運びこまれていた。同室の女性はまだ来ていなかった。

つづいて、シャーロックとエイミアス・クロウの部屋へ。部屋の壁は板張りで、奥ゆきは約九フィート。片側に二段ベッドがすえつけられ、その反対側にはゆったりとしたソファーが置かれている。奥には鏡のついた洗面台もある。ソファーの上には光と空気をいれるための丸窓があるが、驚いたことに、それはネジで窓枠にかたく締めつけることができるようになっているということか？　だとしたら、嵐はどれくらいの頻度で来るのだろう。嵐が何時間もつづけば、どうやって換気すればいいのか。

クロウが二段ベッドの具合をたしかめながら言った。

「わたしが下で、きみが上だ。きみはわたしよりずっと軽い。嵐の日にベッドから落ちても、そんなに大きな怪我はしないはずだ」

どちらのベッドにもマットレスのわきに木の枠がある。眠っているあいだにベッドから落ちるのを防ぐためだろう。でも、海が荒れたら、そこで眠っている者はビスケット缶のなかのビー玉のようになる。

「マットレスが薄すぎる」

クロウは不平をこぼしたが、ホームズ荘のものに比べたらずっといい。けれども、シャーロックはなにも言わなかった。

ふたりは荷物のチェックをすませると、すぐにデッキにもどって、出港の様子を見物することにした。

デッキに出たとき、タラップが引きあげられ、埠頭にいる人々がいっせいに手をふりはじめた。シャーロックはそのなかに兄の丸い顔をさがしたが、もうすでに立ち去っていることはわかっていた。兄は感傷的な人間ではない。別れを惜しむようなことはしない。

シャーロックはジャケットのポケットに手を突っこんだ。そこには兄にもらったプラトンの『国家』がはいっている。思いがけないプレゼントだ。早く読みたい。たとえそれがギリシア語で書かれたものだったとしても。

船の奥深くにある蒸気機関は回転速度を増しつつあり、音が聞こえてくるだけでなく、デッキの木の板を通じて振動も伝わってくる。これはあまり気分のいいものではない。その音と振動がこれから八日間ずっとついてまわるのだ。これでは眠りにくいし、話もしにくい。いつかは慣れるだろうが、しばらくのあいだはがまんしなければならない。

船を埠頭につないでいたロープが柱からはずされた。その太さはシャーロックの握りこぶしくらいあるにもかかわらず、ロープは舷側をリボンのように舞っている。巨大な外輪がまわり、その下の水をかき、ゆっくりと船を前進させはじめた。汽笛が鳴りひびき、それが合図になっているかのように埠頭から大きな歓声があがり、帽子が空に放り投げられた。デッキに集まっていた乗客たちも同じことをした。

とつぜん大きな罪悪感と悲しみが胸にわきあがってきた。できることなら、マティもここにいてほしかった。なんとか無事でいてくれたらいいのだが。いまどんな目にあっているかと考えずにはいられない。それを頭からふりはらうのは簡単ではない。

論理的に考えると、アイブズとバールがマティを痛めつけなければならない理由はなにもない。連中にとって、マティは保険のようなものなのだ。

問題は、アイブズとバールが同じように論理的に考えてくれるかどうかだ。

気をまぎらわせるために周囲を見まわすと、すぐ近くに、バイオリン・ケースのようなものを持った男がひとりで立っていた。埠頭ではなく、海のほうを見ている。やせていて、黒い髪は女性のように長い。コーデュロイのジャケットとズボンを身につけている。年は三十代くらいだろうか。日ざしをさえぎるように目の前にかざした手の指は、細くて長い。

男は横目でシャーロックを見て、敬礼するように額に手をやった。瞳は緑色で、ほほえんだとき、奥の金歯がきらっと光った。

「さあ、冒険旅行のはじまりだ」

その言葉には、強いアイルランドなまりがまじっていた。シャーロックはまわりの浮かれた雰囲気にあわせるように気やすく返事をした。

「八日間、散歩するか本を読むかしかないんです。冒険旅行というほどのものじゃないと思いますけど」

「かもしれない。でも、いいかね。われわれの足の下には、広大な海が広がっている。海底には、沈没した船の残骸が散らばっている。魚たちが窓からなかにはいり、溺死した船員の骨のまわりを泳ぎまわっている。想像するだけで、わくわくしてくるじゃないか」

男は持っていたケースを上にあげた。

「想像をめぐらせるのに飽きたら、デッキでバイオリンをひく。星の下で、人魚にセレナーデを奏でるんだ」

「人魚？　イルカとかのほうがまだ現実的だと思うんですが」

「それではあまりにも夢がなさすぎる。ちがうかね」

男は軽く一礼し、帽子をちょっと持ちあげて、人ごみのなかに消えていった。

エイミアス・クロウが後ろから言った。

「船内を探索したいのなら、行ってくればいい。一週間以上、船のなかにいるんだ。その間ずっときみの見張りをするつもりはないよ。船から落ちないかぎり、迷子になりようがないからね。わたしはバージニアの部屋へ行って、同室の女性にあいさつをしてくる。そのあと部屋で落ちあって、夕食をとりにいこう」

シャーロックは船首のほうへ向かった。その途中のいちだん高くなったところにブリッジがある。ひさしのある帽子をかぶり、金モールがついた黒い制服姿の男が船長だろう。その横には、馬車の車輪のようなかたちと大きさの舵輪を握っている男がいる。ブリッジは吹きさらしだが、その後ろには小さな船室があり、風雨をしのげるようになっている。

ブリッジの片側には柱が立っていて、そこに奇妙な金属製の器具がかかっている。長い二本の針がついていて、目ざまし時計のように見えるが、文字盤にきざまれているのは時間ではなく、〝前進〟、〝全速〟、〝停止〟、〝減速〟といった文字だ。これを使ってデッキの下にある機関室に指示を出しているのだろう。針がそれぞれの文字をさすと、機関室で異なるベルが鳴り、機関員に指示が伝わるという仕組みだ。

　さらに先に進むと、船首の少し手前に細長い家畜小屋のようなものがあった。においも家畜小屋のものだ。

　すきまからなかをのぞいてみると、驚いたことに、それは本当に家畜小屋だった。三層になっていて、いちばん下にはウシやブタやヒツジ、まんなかにはカモやガチョウ、いちばん上にはニワトリがいる。卵やミルクだけでなく、肉用でもあるとしたら、その数はしだいに減っていき、航海がおわるころには家畜小屋も石炭の貯蔵庫と同様ほとんど空になるのだろう。まさか船の上に生きた動物がいるとは思ってもみなかったが、考えたら当然のことだ。生鮮食品をそんなに長く保存することはできない。嵐や機械の故障などで遅れが出ることもあるだろう。野菜や果物もどこかに貯蔵されているにちがいない。もしかしたら、畑のようなものがどこかにあるのかもしれない。さらには、飲み水もいる。一等船客用にワイン、シャンパン、ブランデー、ウイスキーなども用意しておかなければならない。

目のはしになにかがちらりと動いた気がした。すばやくふりむいたとき、黒っぽい人影(ひとかげ)が救命ボートの陰(かげ)にはいるのが見えた。シャーロックはそっちのほうへ歩いていったが、人影(ひとかげ)はもうどこかに消えていた。

シャーロックは首をふった。たぶん乗客のひとりで、怪(あや)しい者ではないのだろう。

船の右側には、海岸線がどこまでもつづいている。船はイギリスの海岸ぞいに西へ進み、コーンウェル沖を通って、アイルランドのほうへ向かう。アイルランドの海岸線をはなれたあとは、ニューヨークの港まで三千マイルの大西洋ごえになる。

船は驚(おどろ)くほど安定している。横揺(よこゆ)れはほとんどない。大西洋に出たらどうかわからないが、船の大きさを考えると、イギリスの海岸ぞいの波くらいなら、なんの心配もない。モーペルチュイ男爵(だんしゃく)の要塞(ようさい)から小さな舟(ふね)でポーツマスの近くの海岸へ向かったときのことを思いださずにはいられない。あのときは本当におそろしかった。あのような体験は二度としたくない。

急にさびしくなってきた。イギリスにはすべてがある。家、家族、それに学校も。そういったもののすべてがゆっくりと遠のいていき、この先にはまったく見知らぬ世界が待ちうけている。新しい世界、新しい人間、新しい習慣。そして、危険。

ジョン・ウィルクス・ブースをかくまっている男たちのねらいがなんなのかはわからな

いが、なにかをたくらんでいるのはまちがいない。それは秘密のたくらみであり、その秘密を守るためなら、人殺しも辞さない。自分のような子どもの手に負えるようなものではない。そんなものに巻きこまれてしまったのだ。

そして、マティ。マティはどうしているのか。自分たち三人は快適な船の旅を楽しんでいるが、マティはちがう。彼らといっしょに船に乗りこんだとしたら、船室に閉じこめられているにちがいない。もしかしたら縛られているかもしれない。

いや、生きているかどうかさえわからないのだ。クロウ先生も兄もマティは生きていると考えている。けれども、その根拠はきわめて薄弱だ。事実と思えたものが事実でなかったり、思考の方向がまちがっていたりすれば、結論はおのずとちがったものになる。つまり、マティはかならずしも生きているとはかぎらないということだ。連中はいまグレート・イースタン号に乗ってアメリカに向かっている。マティはお荷物になる。としたら、イギリスにいるうちに喉を切り裂き、道ばたに捨てたという可能性もなくはない。

シャーロックは重い足どりでデッキの手すりぞいに引きかえしはじめた。

その途中、白い制服を着て、ブロンドの短い髪に帽子をかぶった乗員に出くわした。ちょうどよかった。部屋へのもどり方がわからなくなりかけていたところだったのだ。

その乗員から部屋へのもどり方を教えてもらうと、にぎやかな乗客の一団のわきをぬけ、二本の煙突と木の幹のような太い二本のマストの下を通りすぎ、デッキ側に窓が開いた細長い一等船客用のサロンを横目に見ながら、船尾のほうへ歩いていった。船の後ろには、彗星の尾のような白い波ができていた。カモメが船のあとを追い、ときおり白い波に向けて急降下している。魚がとつぜんの波に驚き、水面近くにあがってくるのだろう。

横にひとの気配を感じた。ふりむくまえに、バージニアだとわかった。

「部屋はどんな感じだった?」

「悪くないわ。イギリスへ来たときより快適に過ごせそうよ。パパはそのときのほうが食事も部屋もよかったと言ったかもしれないけど、そんなことはないわ。そのときは三等船室じゃなかったけど、一等船室でもなかった。イギリスの船じゃなくてアメリカの船だったからよかったってわけでもないし」

「同室の女性はどんなひと?」

「年配の未亡人で、五年前にニューヨークに行った息子さんといっしょに住もうと思ってるんだって。メイドを連れてきてるらしいわ。別室なんだけど。これから聖書を読みはじめて、ニューヨークに着くまでに読みおえたいって言ってたわ。途中で投げださなきゃいいんだけど」

「デッキを少し歩いてみる?」

「そうね。なにがどこにあるかを知っておく必要があるし。八日間もここで過ごすことになるんだから」

ふたりはシャーロックがさっき歩いたのとは反対の手すりぞいに歩きはじめた。一等船客用のサロンの前で、シャーロックは立ちどまった。

「ちょっとなかをのぞいてみよう」

ドアは外に開くようになっていて、風にあおられないよう固いバネがついている。シャーロックはドアをあけ、なかをのぞきこんだ。白い制服姿のふたりのウェイターが、部屋のまんなかにある細長いテーブルにナイフとフォークをならべているだけで、ほかにはだれもいない。テーブルのまわりには五十脚(きゃく)ほどの椅子(いす)がならんでいる。それは一等船室の乗客の数と同じなのだろう。ウェイターは顔をあげて、会釈(えしゃく)をしただけで、すぐまた仕事にもどった。

壁(かべ)は焦(こ)げ茶色の板張りで、部屋を広く見せるよう鏡がかけられている。鏡のないところには装飾用(そうしょくよう)のパネルが埋(う)めこまれ、柱にはオイルランプがぶらさげられている。

「みんなここでいっしょに食事をとるのかな」

バージニアはうなずいた。

「そう、みんないっしょよ。来たときの船もそうだったわ。客室サービスはない。ここで食べるか、いやなら食べないでいるしかない」

ウェイターのひとりがテーブルにネームプレートを置きはじめた。兄は席の手配はすんでいると言っていた。ワイロをわたしたということだろう。でも、船の上ではどこまで有効なのかわからない。結局はムダな出資にしかならず、船長からもドアからももっとも遠く、機関室の真上の席にすわらされ、不平不満をつのらせるだけということもありうる。すべては給仕長の胸先ひとつで決まるということだ。

後ろにさがり、ドアが閉まったとき、視界のすみでなにかが動いた。ふりむいて、サロンと煙突(えんとつ)のあいだにある通路に目をやると、人影(ひとかげ)がすばやく通路の角に引っこむのが見えた。

一瞬(いっしゅん)のことなので、船員なのか乗客なのかもわからない。ただ、手首が陽光を受けて青く光っていたことはわかった。もしかしたら青いカフス・ボタンかもしれない。

シャーロックはサロンのはずれまで走っていき、通路の角の向こうを見たが、人影(ひとかげ)はもうすでに消えていた。通路の途中(とちゅう)には、そこから下におりていくための階段がある。だれかが自分を見張っていて、見つかりそうになったから、あわてて姿を消したのかもしれない。これで二度目だ。だれかが様子をうかがっている。としたら、その意味するところはたったひとつ。

この船には、マティをさらった男たちの手の者が乗っているということだ。

8

ニューヨークまでの船旅の日課は最初の十八時間で決まる。船がどんなに大きくても、乗客が出入りできるところは限られている。デッキを散歩し、食事をし、喫煙室や図書室をのぞき、ほかの乗客と天気の話をしたら、ほかにすることはなにもなくなる。食事と食事のあいだ、たいていの乗客はデッキの椅子にすわって本を読むか、喫煙室やバーでトランプのゲームをして過ごす。日が沈むと、オイルランプに火がともされるが、明るさは必要最小限なので、乗客たちは船室にもどって眠りにつくしかない。

シャーロックは遠ざかる母国が水平線のかなたの黒い線になるのをながめて数時間を過ごした。だが、その線が消える瞬間はなぜか見逃してしまった。まばたきしたのかもしれないし、よそ見をしていたのかもしれない。とにかく、その瞬間までそこにあったイギリスはなくなり、船が果てしない海の上を夕日に向かって動いていることを示すものは、その後ろに残る白い波だけになった。

シャーロックはクロウとバージニアといっしょに夕食の席についた。クロウはだれとでも気軽に話をしていたが、シャーロックはだれとどんな話をしていいかわからなかったので、食事をとりながらほかの乗客を観察し、それがどういう者たちで、どこから来て、どこへいくのだろうといった推理をして時間をやりすごした。

職業を見分けるための注意点はクロウから教わっていた。たとえば、袖の汚れとか、上着のすり切れ方とか、てのひらのタコとか。いまざっと見たところだと、ひとりが会計士で、ふたりが馬の調教師であるのはたぶんまちがいない。

船長のチャールズ・ヘンリー・エバンズ・ジャドキンスは、頬に印象的な白いひげを生やした長身の男だった。黒い制服はしみひとつ、しわひとつない。軍人のように背中がまっすぐのびている。このときのために精いっぱいのおしゃれをしてきた婦人たちの人気者で、食事をしながら、航海中に体験したいくつもの奇妙な出来事を話して聞かせた。たとえば、クジラや巨大イカを見つけたときの話とか、水平線に黒い壁のような雲があらわれ、波にもてあそばれた船のデッキが垂直になったときの話とか。

船長は話し上手で、聞き手を夢中にさせ、海の旅には危険がつきものだと思わせるのに成功していた。だが、実際はちがう。そんな話をすることによって、航海が退屈なものではないという印象を与えようとしているだけなのだ。

船長の話のなかで、シャーロックがいちばん興味を覚えたのは、アイルランドからニューファンドランド島まで大西洋の底に電信用のケーブルを敷こうとしているという話だった。成功すれば、船だと一週間以上かかるところを、電気的な信号によって情報を瞬時に相手に伝えることができるようになるという。それにしても、海岸から海岸までの三千マイルもの距離を一本の海底ケーブルで結ぶなどという途轍もないことをよく思いついたものだ。その気になりさえすれば、人間には不可能なことはなにもないのではないか。

ジャドキンスによれば、最初の試みでは、二隻の船が大西洋のまんなかまで行き、それぞれが運んできたケーブルをそこでつなぎあわせて、別の海岸に向かうというものだったが、作業開始の日に嵐に見舞われて、あえなく失敗したらしい。それで、こんどはアイルランドからニューファンドランド島へ向かいながらケーブルを海底に沈めていくという方法に切りかえた。が、ケーブルが水圧に耐えられず、しばしば切れるので、そのたびに海から引っぱりあげて、修理しなければならず、作業は難航しているという。

船長はよく通る低い声で話をつづけた。

「そういえば、こんなことがありました。切れたケーブルを海の底から引きあげたら、おかしな生き物がくっついてきたんです」

そして、テーブルを見まわした。太い眉の下で、目が楽しそうに輝いている。乗客たちは固唾をのんで話のつづきを待っている。

「巨大なハサミムシのような生き物です。色は白で、体長は六十センチ以上ありました。十四本の足があり、その先についている爪がケーブルをしっかりつかんでいましてね。ケーブルといっしょにデッキに引きあげられたあと、すぐに死にました。本来のすみかである暗い海底とはあまりにも環境がちがいすぎたのでしょう」

ひとりの女性が小さな悲鳴をもらした。

「その場にいあわせた者から聞いた話なんですが、その生き物を料理すると、ロブスターみたいな味がしたそうです」

乗客たちのあいだに笑いが起きた。シャーロックはクロウと目をあわせた。

クロウも同じように笑いながら、シャーロックだけに聞こえるような小さな声で言った。

「わたしも同じような話を聞いたことがある。それは等脚類と呼ばれる生き物だ。エビの一種で、海底で暮らしているうちに、独自の進化をとげたのだろう」

兄のはからいのおかげで、三人の席は船長のすぐ近くに割りあてられていた。給仕してくれたのは、少しまえに船室への行き方を教えてくれたブロンドの短い髪の男だった。いまはテーブルの向かいの席にスープ皿を置いているところで、シャーロックと目があうと、軽く会釈をした。

さいわいなことに、献立にロブスターはなかった。

夕食のあとはすぐにベッドにはいった。クロウはひとりバーに残り、いつ部屋にもどってきたのかはわからない。朝、目を覚ましたときには、もう部屋にはいなかった。あまり寝なくてもいいようにできているということだろう。

航海二日目、空は青く晴れわたり、海は凪いでいて、船が波にあおられたりするようなことはなかった。海で嵐に出くわしたときの話を本で読んだことはある。乗客のひとりから、前回の航海で大きな波に襲いかかられ、動物たちが海に放りだされたというおそろしい体験談を聞いてもいる。だが、いまのところ海は穏やかで、デッキの開けた場所でボウリング遊びをしている者もいるくらいだった。

デッキにはフェンスに囲まれた三等船客用の区画がある。そこで散歩や衣類の洗濯ができるようになっているのだ。そこにある階段は、ハンモックがならんだ薄暗い空間につながっていて、ときどき吐き気がするような異臭があがってくる。風通しが悪く、空も水平線も見えず、体臭がこもっているにちがいない。そこから上にあがってきた者は、一等船客を憎々しげに見ていたり、疲れた顔でぼんやりとデッキをながめたりしている。彼らの横を通りすぎるたびに、兄が一等船室をとってくれたことを感謝せずにいられなかった。三等船室では八日間の航海にとても耐えられそうにない。

蒸気機関は甲板をふるわせながら、船の両側にある外輪を一定の速度でまわしつづけている。外輪のまわりには櫂のようなものがついていて、それが回転しながら水をかき、船を前進させているのだ。サウサンプトンの港が水平線のかなたに消えると、船長はすぐに帆を張るように命じたが、風はほとんど吹いておらず、帆布はだらりとたれさがったままで、速度はいくらもあがらなかった。

その日の朝食以降、バージニアの姿を見ることはほとんどなくなった。なぜかふさぎこんだ様子で、ずっと部屋にこもっていたからだ。クロウはときおりバージニアの様子を見にいき、部屋にもどってきては考えごとをしていた。どうもおかしい。バージニアはこのまえアメリカからイギリスに来たときのことをなにか話していなかっただろうか。はじめて会ったときに気になることを言っていたような気がするが、どうしても思いだせない。

船の後ろのほうから音楽が聞こえてきた。シャーロックは体の向きを変え、波を見ながら、音楽に耳をすました。音は船のあとを追いかけてくるカモメのように軽やかに空を舞い、メロディは波のようにうねっている。どうやらバイオリンのようだ。

シャーロックは手すりからはなれ、音のするほうへ歩きはじめた。船上には気晴らしになるものがなにもない。単調さを破ってくれるものなら、なんだって大歓迎だ。

細長いサロンのわきを通りぬけると、デッキの開けたところに、バイオリンをひいている男がいるのが見えた。きのう船がサウサンプトンの港を出るときに会った、長い黒髪に緑色の目をした男だ。そのときと同じコーデュロイのジャケットとズボンという格好で、シャツ以外はどこも変わっていない。バイオリンを首にあて、頭を少し傾けて、あごで固定している。左手でバイオリンのネックを押さえ、右手で弓を持っている。目は閉じられている。演奏に集中しているのだろう。

　こういう種類の音楽を聞くのは、このときがはじめてだった。自由奔放で、ロマンチックで、荒々しい。ディープディーン校でときおり開かれる演奏会で聞いたモーツアルトやバッハとちがって、秩序とかいかめしさとはまったく無縁だ。

　まわりには数人の乗客がいて、ものめずらしそうに演奏に耳を傾けている。シャーロックもそのなかにはいり、聴衆のひとりになった。

　しばらくして音楽はクライマックスを迎え、ひとつの音が長く響いて消えた。それから少しの間を置いて、長い髪の男はほほえみ、バイオリンをおろして、目を開いた。聴衆のあいだから拍手が起きた。男は頭をさげた。その前にはバイオリン・ケースが置かれていて、数人がそこにコインを投げいれた。

　聴衆は立ち去り、その場にいるのはバイオリンひきの男とシャーロックのふたりだけになった。男は腰をかがめてコインを集めてから、シャーロックに目をやった。

「楽しんでもらえたかな」

「ええ。でも、ぼくはお金を持っていないので……」

男はバイオリンと弓をケースにいれて、立ちあがった。

「気にすることはないよ。もちろん、金はあったほうがいい。船賃は高いし、生活費もバカにならない。たまには酒の一杯も飲みたいしね。でも、わたしは金もうけのために演奏しているんじゃない。少なくとも、この船の上ではね。練習のためだ。同室者がポルカ以外は聞きたくないと言ってるので、ここでひいているんだよ」

「さっきのはだれの曲ですか」

「マックス・ブルッフといってね。ドイツの作曲家だ。去年コブレンツで会ったときに、楽譜をもらったんだよ。それ以来、練習をつづけている。いずれは世界中のバイオリニストが演奏するようになるはずだ」

「すごいですね」

「メンデルスゾーンの作品をお手本にして、それに独自色を加えている」

「あなたはプロの音楽家なんですか」

口もとに屈託のない笑みが浮かんだ。

「いちおうはね。いろんな職業を転々としているが、結局はバイオリンにもどってくる。

オーケストラの一員としてコンサートホールの舞台に立つこともあれば、弦楽四重奏の一員としてティールームで演奏することもある。路上で大道芸まがいのことをすることもあれば、ビールのグラスが舞台に投げつけられるようなミュージック・ホールで歌手の伴奏をすることもある。わたしの名前はストーンだ。ルーファス・ストーン」

「ぼくはシャーロック・ホームズです」

シャーロックは前に進みでて、手をさしだした。ふたりは握手をした。ストーンの手は大きく、がっしりとしていた。

「アメリカへ行くのもそのためなんですか。アメリカにバイオリンをひきにいくんですか」

「イギリスにはチャンスがほとんどないけど、新世界ならなんとかなりそうな気がしてね。とくにいまは先の戦争で人材が不足しているから」

ストーンはシャーロックの体を上から下までじろじろ見つめた。

「バイオリニスト向けの体型だ。姿勢もいいし、指も長い。バイオリンをひいたことは？」

シャーロックは首をふった。

「ありません。楽器はぜんぜんだめなんです」

「ひけたら楽しいよ。女の子にもてるし」

ストーンはまだバイオリンが首にはさまっているかのように頭を傾けた。

「楽譜は読めるかい」

シャーロックはうなずいた。

「学校で習いました。聖歌隊があって、毎朝歌わされるんです」

「わたしからバイオリンを習ってみる気はないかね」

「ぼくが？　バイオリンを？　ほんとですか」

ストーンはうなずいた。

「到着まであと一週間ある。なにかをしてなきゃ、時間はなかなか過ぎてくれない。ニューヨークについたら、わたしはバイオリンの教師として雇ってくれるところをさがすつもりでいる。そのときに、バイオリンを教えた経験があると言えるほうがいい。教え方は心得ているつもりだが、実際に教えたことは一度もない。だから、どうだろう。わたしを助けると思って」

シャーロックはひとしきり思案をめぐらせた。トランプはしないし、船のなかでの楽しみといえば、兄がくれたプラトンの『国家』を読むことくらいしかない。それよりはずっとおもしろそうだ。

「授業料は払えません。お金を持ってないんです」

「きみに金銭的な負担を求めようとは思ってないよ。助けてもらうんだからね」

「一週間でどんなことを教えてくれるんですか」

ちょっと考えてから、ストーンは言った。

「まずは基本姿勢から。正しい立ち方とか、バイオリンの持ち方とか。それをマスターしたら、つぎは右手の使い方。技法としては、デタッシュ、レガート、コレ、マルトレ、スタッカート、スピッカート、ソーティエなどがある。そのつぎは左手だ。指で弦を押さえたり、はなしたり、滑らせたり、震わせたりする。あとは練習あるのみ。指先が痛くなるまで同じことを何度も何度もくりかえす」

「ぼくは楽譜が読めると言いました。でも、音程はよくはずします。聖歌隊の指揮者にオンチだと言われたことがあります」

「心配することはない。歌はうたえなくても、バイオリンはひける。一週間後にはみんなコインを投げてくれるようになるよ」

シャーロックはほほえんだ。航海は思っていたより楽しいものになりそうだ。

「おもしろそうですね。いつからはじめます」

「いまから。お昼の時間まで。さあ、バイオリンを手にとりなさい。まずは基本姿勢からだ」

それからみっちり三時間かけて、正しい立ち方とバイオリンや弓の持ち方を教わった。そのときに何度か音を鳴らしてみると、首をしめられたネコのような音しか出なかったが、ストーンは気にしなくてもいいと言った。午前中のレッスンの目的は、バイオリンをひくことではなく、バイオリンにふれることだという。

「リラックスしながら、同時に神経をとぎすますこと。腕や指や肩にバイオリンの感覚を覚えさせるんだ。レッスンがおわるころには、バイオリンが体の一部になっているように感じるはずだ」

昼の時間が近づいたときには、使いなれていない筋肉が痛み、首はひきつり、弦を押さえていた指先はひりひりするようになっていた。

「じっと立っていただけなのに、どうして走りまわったあとのようになるんでしょうね」

「運動とは筋肉をこわばらせたり、ゆるめたりすることだ。かならずしも走りまわる必要はない。きみは太った音楽家を見たことがあるかね。たぶんないと思う。それはなぜか。ひとつところにすわったままでも、あるいは立ったままでも、筋肉はずっと動いているからだよ……打楽器奏者は別だがね。彼らはたいてい太っている」

「つぎはなにをするんです」

「つぎは腹ごしらえだ」

ストーンが部屋にバイオリンを置きにいっているあいだに、シャーロックはエイミアス・クロウをさがした。クロウはどこからともなく姿をあらわしたが、バージニアは結局姿をあらわさなかった。

ふたりで一等船客用のサロンの席につくと、シャーロックはクロウにルーファス・ストーンを紹介した。

クロウはストーンと握手をした。

「はじめまして。あなたは音楽家ですね。バイオリニストだとお見受けしました」

ストーンは笑った。

「わたしの演奏をお聞きになったんですか」

「いいえ。ただ、あなたの肩には新しいほこりがついている。わたしの知るかぎり、上着の肩にほこりがついているということは、三つの職業のうちのどれかであると考えられます。教師か、ビリヤード・プレイヤー、さもなくばバイオリニスト。この船にビリヤード・テーブルはないし、教室を開けるほどたくさんの子どもも乗っていません」

シャーロックは自分の上着の肩に目をやった。たしかにうっすらとほこりがついている。親指と人さし指でつまむと、こはく色で、粘り気がある。

「これはチョークじゃありませんね。なんですか」

「コロホニーと呼ばれているものだよ」

ストーンは答え、クロウがくわしく説明した。

「樹脂の一種だ。音楽家のあいだではロジンという名前で通っている。松脂を沸騰させ、ろ過して、石けんのようにかためたものを、バイオリンの弓に塗ると、弦とのあいだに摩擦力が生じる。それが弦を震わせ、音が出るという仕組みだ。当然ながら、樹脂は乾燥すると、粉状になり、体のなかで楽器にいちばん近い部分、つまり肩につく」

クロウはシャーロックを見て、眉間にしわを寄せた。

「きみもバイオリンをひいていた――というより、教わっていたんだね」

「ええ、ストーンさんから教わっていたんです」

「いけなかったでしょうか、クロウさん」と、ストーンは言った。「時間つぶしにちょうどいいと思ったんですがね」

「音楽のことはよくわかりません。わたしが知っている音楽といえば、アメリカとイギリスの国歌くらいです」

クロウは太い眉の下からシャーロックにちらっと目をやった。

「本当はわたしがレッスンをしなきゃならないんだが、なかなか時間がとれない。バージニアが気をめいらせていてね。もしかしたら、まえにも話したかもしれないが、バージニアの母親、つまりわたしの妻は前回の航海の途中で死んだ。ニューヨークからリバプールへわたったときのことだ。その記憶が心に重くのしかかっているのだろう。もちろん、わたしの心にも……記憶というのは不思議なものだ。人間はどんな記憶でもわきに押しやって、忘れたふりをすることができる。でも、ちょっとしたきっかけで思いだす。通常はにおいや音が原因であることが多い。このところバージニアが母親の話をすることは絶えてなくなっていた。今回は海と船のにおいによって、記憶が一気によみがえったようだ」

「かわいそうに」と、シャーロックは言った。それだけでは十分でないことはわかっていたが、ほかに言葉は見つからなかった。

クロウはため息をついた。

「人生にはつらいことも起きる。人間であるからには、避けられない真実のひとつだ。きみにはお兄さんからもらった本がある。それを読むのを忘れないように。わたしはこれから毎日一時間か二時間をきみのためにさくつもりだ。そのときに、きみがこの船の上で見たり聞いたりしたことを話しあうようにしよう。あとの時間はきみの自由だ。好きなようにすごせばいい」

それからはずっと重苦しい沈黙がつづいた。食事がおわると、シャーロックはすぐに席を立った。どうやらクロウ先生はバイオリンのレッスンを受けることをあまり快く思っていないようだ。すぐまたバイオリンのレッスンにもどったら、ますます気分を害することになるだろう。シャーロックが立ち去るとき、ストーンは心得顔で軽くうなずいた。

それから一時間ほど、シャーロックはデッキの椅子(いす)にすわって、プラトンの『国家』を読んだ。ギリシア語を英語に訳しながら読むのは簡単ではなく、内容はほとんど理解できなかった。ひとつひとつの単語の意味をとることはできるのだが、文がおわるころには、どこからはじまったか、なにが言いたいのかわからなくなっている。

とりわけ難解な他動詞の解釈(かいしゃく)に四苦八苦しながら、ふと顔をあげると、白い制服姿の男がトレイを持って横に立っていた。きのう部屋への行き方を教えてくれ、夕食のときに給仕をしてくれた男だ。

「なにかご入用なものはありませんか」

「ええっと……ギリシア語の辞書があれば貸してもらいたいんだけど」

ウェイターの顔は日に焼け、深いしわが刻みこまれている。淡(あわ)いブルーの瞳(ひとみ)にはやさしそうな光が宿っている。

「残念ながら、お役に立つことはできません。必要なのは古代ギリシア語の辞書ですよね。船内には図書室がありますが、そのような辞書はなかったはずです」

「図書室にどんな本があるか全部頭にはいってるの?」

「この船には最初の航海のときから乗っています。覚えているのは図書室の本だけじゃありません。メニューに出ているカクテルの名前も全部覚えています。デッキの板の種類から、船体の鋲の数まで、知らないことはなにもありません。わたしはグリブンズと言います。ご用の際はお気軽に声をかけてください」

シャーロックはトレイを持っているウェイターの手もとに目をやった。手首から袖口にかけて入れ墨がある。小さな鱗のような模様で、青い色のところどころに金色がまじっている。

きのう物陰から見ていた男の手首についていたのと同じ色だ。偶然か、それとも……

グリブンズはシャーロックの視線に気づいたようだ。

「どうかしましたか」

「いや、べつに」

シャーロックは頭をフル回転させた。一瞬いぶかしげな顔をしたのに気づかれたのはまちがいない。うまく言いつくろわなければならない。

「その入れ墨が気になってね。ぼくの兄も同じような入れ墨をしているので」

「香港で彫ってもらったんです。この船の乗員になるまえに」

「きれいだね」

「彫ったのは、年とった小柄な中国人で、店は九龍という地域の裏通りにあります。船乗りのあいだでは有名で、世界中どこをさがしてもその男にかなう入れ墨師はいません。その男がつくる色はだれにもまねできない。だから、見ると、一目でわかるんです。そのときには、見ず知らずの者でも、おたがいに会釈しあいます。どちらも小さな中国人の世話になったということで、クラブの仲間のようなものです」

「船乗りのなかに入れ墨をしているひとが多いのは、なぜなんだろう。見たかぎりでは、この船の船員はみんな入れ墨をしている」

グリブンズは海のほうに目をやった。

「船が沈没したら、船員の死体が海岸にあがるまでに長い時間がかかります。どんなに近しい間柄の者でも、死体を見分けられないことが多い。海水や厳しい気候や魚たちのせいで。おわかりいただけますね。でも、入れ墨は長く残ります。顔は見分けがつかなくても、入れ墨を見れば、それがだれかわかります。そうなんです。これは元々身元確認の手段だったんです。航海中に万が一のことがあったとしても、家族に埋葬してもらえると思うと、それだけで安心感がだいぶちがいますからね。でも、こんなことは乗客の方にお話しすべきことじゃないかもしれません。無作法をお許しください」

シャーロックはうなずいた。

「なるほど。筋は通ってるね。ありがとう」
「どういたしまして。まだしばらくここにいらっしゃいますか」
「ほかに行くところはないよ」
「では、またあとで来ます。用があれば、そのときにうかがいます」

グリブンズはほかの乗客のところに歩いていった。

シャーロックは思案をめぐらせた。きのう物陰から見ていた男がグリブンズだとしたら、デッキにまだいるかどうかという質問をしたのはなぜなのか。そのあいだに、船室をさがして、なにをどこまで知られているかを調べようとしているのか。それとも、クロウ先生とバージニアをねらうつもりなのか。どっちにせよ、ここでじっとしているわけにはいかない。

シャーロックはすぐに立ちあがって、デッキを歩いていき、階段をおり、自分の船室のある廊下に出た。

部屋のドアが少しだけあいている。グリブンズがなかでなにかをさがしているのか、それともクロウ先生がいるのか。

ドアのすきまからなかの様子を見てみよう。もしもグリブンズがいたら、クロウ先生を見つけだして、事情を説明し、ここに連れてこよう。

と思ったとき、後ろから背中を強く押(お)された。前につんのめりながら部屋にはいったとき、また背中を押(お)されて、このときは床(ゆか)に倒(たお)れこんだ。とっさに頭をひねり、体を丸めていなければ、二段ベッドの角にぶつかっていただろう。頬(ほお)がカーペットにこすりつけられて焼けそうに熱い。

体をねじって、戸口に目をやったとき、グリブンズが後ろ手にドアを閉めた。淡(あわ)いブルーの瞳(ひとみ)は、さっきとちがってビー玉のように冷たい。

「おまえは自分のことを利口だと思っているんだろうな」

シャーロックは息をのんだ。さっきまでの従順そうな態度からは想像もできないような横柄(おうへい)な物言いだ。

「おまえよりずっと大きい、強そうな男をまっぷたつにへし折ってやったこともあるんだぜ。おまえはおれが部屋を調べているかもしれないと思って、のこのことここへやってきた。さっきおれの入れ墨(ずみ)を見て、きのう見たものと同じだってことに気がついたってわけだ。なにもかもお見通しさ。だから、おれが船室を調べるつもりだとおまえに思わせて、ここにおびき寄せたんだよ」

「なんのために?」と、シャーロックは聞いた。

体をねじって床(ゆか)に倒(たお)れているので、息ができない。

「おまえたち三人をこの船からおろすためだ」

「船からおろす？」

その意味を理解するのに数秒かかった。

「つまり、ぼくたちを海に放り出すってことだな。でも、ぼくたちがいなくなったことがわかると、大騒ぎになるぞ」

「もちろん、船長はおまえたちをさがす。場合によっては、船をあともどりさせるかもしれん。でも、だからどうなると言うんだ。海のなかでは、三十分も生きられない」

「どうしてなんだ。わけがわからない。ぼくたちが追っている連中は、ぼくたちがどの船に乗るか知らなかったはずだ。ぼくたちが船に乗るかどうかさえ知らなかったはずだ」

「おれは金をもらって、言われたとおりのことをしているだけさ。この船に乗っている三人組か四人組の旅行者を海に放りこめばそれでいい。ひとりは白い帽子をかぶった大男で、あとはふたりの子ども。それから、もしかしたら、もうひとり。太った若い男だ。報酬の三分の一は前金で、残りの三分の二はおまえたちが船から落ちて行方不明になったという記事が新聞にのったときにもらうことになっている」

「でも、彼らはどうしてぼくたちがこの船に乗るとわかったんだろう」

シャーロックは聞き、答えがかえってくるまえに思いついた。

「なるほど、そういうことか。全部の船の船員に声をかけてまわったってことだな」

　グリブンズはうなずいた。

「ここ数日のあいだにサウサンプトンを出る船全部だ。船の乗員を見つけるのは簡単だ。航海のあいまにはいつも同じ酒場にたむろしている」

「でも、それって、そんなに簡単にできることじゃない。お金もずいぶんかかる」

　グリブンズは肩をすくめた。

「そんなことはおれの知ったことじゃない。ニューヨークに着いたときに、金を払ってもらえさえすりゃ、それでいいんだ。少なくとも、あいつらは金には困っていない。おまえがどんなことを知っているか聞きだしたら、特別手当てが出ることになっている。痛い目にあいたくなきゃ、さっさと話すことだ。そうしたら、おれも悪いようにはしない。海に放りこむときには、意識がないようにしておいてやる。そっちのほうがずっと楽だ。拒んだら、そのときは、おまえが話そうという気になるまで、指を一本一本ナイフで切りおとしていく。そのあと、意識があるまま海に放りこむ」

「そのときには大声をあげる。みんなに聞こえるように」

「いいことを教えてやろう。船員になるまえ、おれは船具屋で帆をつくっていた。鉄の針で帆布を突き刺す感覚はいまでもよく覚えている。大声をあげさせないようにするためには、唇を太い糸で縫ってしまえばいいだけのことさ。おまえを海に放りこむときに、おまえがどんな目をしてるか見るのがいまから楽しみだぜ。さあ、質問に答えろ。おまえはやつらの計画をどこまで知っているんだ」

グリブンズは前かがみになって、シャーロックの髪をつかんだ。薄暗い部屋で、手首の青い入れ墨が鈍い光を放っているように見える。

シャーロックは足を蹴りだし、グリブンズの股間にブーツを食いこませた。うめき声がもれ、体がふたつに折れる。

シャーロックは急いで立ちあがり、グリブンズの肩をつかんで引っぱった。体が前のめりに倒れると、そのわきをぬけて、ドアのほうに向かった。

そのとき、足首をつかまれた。部屋に引きもどされそうになったので、体をねじり、また蹴った。こんどは目にあたった。グリブンズはののしりながら手をはなし、後ろ向きに倒れた。

逃げだして、クロウ先生を見つけなければ。戸口に突進し、ドアをあけると、廊下の壁にかけられたオイルランプの明かりが部屋にはいってきた。外に飛びだして、ドアを閉めると、廊下を全速で走りはじめた。

背後で部屋のドアが開いて壁にあたる音がし、足音が追いかけてきた。しばらく行って、廊下が別の廊下と交差しているところに出ると、そこを左へ折れる。その先にはデッキへあがる階段があるはずだ。が、ちがった。階段はいっこうにあらわれない。逆に、船の奥深くへとどんどんはいりこんでいく。

またしばらく行ったところに下りの階段があった。そこをおりるか、でなかったら、引きかえすしかない。結局、おりることにした。そこは乗客が立ちいれる区域ではなかった。壁は装飾用の板張りではなく、荒削りの木がむきだしになっている。オイルランプは黄ばんでいて、火はいまにも消えそうになっている。床も木がむきだしになっていて、柔らかな絨毯は敷かれていない。

後ろから、足音が聞こえてきた。グリブンズはまだ追いかけてきている。前へ進まなければならない。

船のエンジン音がすぐ近くから聞こえてくる。機械じかけの大きな心臓が鼓動を打っているようだ。気温もずいぶんあがっている。走っているのと、湿気のせいで、全身が汗ばんでいる。

角をまがると、大きなドアがあった。ドアはしまっている。首をまわして後ろを見たが、引きかえすことはできない。前に進むしかない。

ドアをあけて、なかにはいる。

そこは地獄（じごく）だった。

9

熱が顔を直撃し、倒れそうになる。パン屋のオーブンの前を歩いているようだ。首のうぶ毛がちぢれ、顔にも首にも汗がふきだしてくる。空気は濃く、気温は高い。息苦しい。ドアの向こうには、鉄の手すりがついた通路があり、そこから機械で埋めつくされた地獄の洞窟を見おろすことができた。いくつものピストンや車輪や車軸が、それぞれ異なったスピードで回転したり、上下左右に動いたりしている。

そこはスコティア号の巨大な外輪に動力を与えている機関室だった。近くには作業員が石炭をシャベルで炉に放りこんでいるボイラー室があるにちがいない。石炭は燃えて、熱をつくりだす。その熱がボイラーの上部にある水を蒸気に変える。蒸気はいくつものパイプを通って、機関室に送りこまれる。蒸気の圧力はピストンや車輪によって回転運動に変えられる。その力が大きな車軸を経由して外輪に伝えられるのだ。

ここでこんなに暑いのだから、ボイラー室は火山の噴火口も同然だろう。そんなところでよく作業ができるものだ。

音もすさまじい。カチャカチャ、シューシュー、ガンガンいう音のせいで、頭が痛くなってくる。手をかけているドアからだけではなく、空気そのものからも振動が伝わってくる。胸に連続パンチを受けているみたいだ。こんなところではどんな会話もできない。作業員は身ぶり手ぶりでコミュニケーションをとるしかない。難聴やらなにやらの職業病の心配もありそうだ。

壁にはところどころに薄汚れたオイルランプがかかっていて、天井の格子窓からは上の階の明かりがさしこんでいる。だが、空気はよどみ、ほこりっぽく、湿っぽい。そのせいで、光はすぐに吸いとられ、あちこちに黒い大きな影ができている。格子窓からは空気もはいってきて、作業員に気なぐさみ程度の冷たい風を送っている。空中には、炭塵と水蒸気が行き場を失った幽霊のように渦を巻いている。

ここからどこへ行けばいいのか。周囲をさっと見まわすと、機関室は船の中央部の数フロア分を占めていることがわかった。壁際には各階ごとに通路があり、鉄のはしごで行き来できるようになっている。それぞれの通路の下には太い鉄の梁がわたされていて、そこに種々のパイプがとりつけられている。ピストンや車輪や車軸は、こわれたときすぐに修理できるよう、すべて手が届くところにある。

天井を見ると、ふたつの大きな圧力容器があり、そこへ向かって多くのパイプがのびている。圧力容器の上には開口部があり、それがふたつの煙突につながっていて、そこから用ずみの蒸気が吐きだされるようになっているにちがいない。

すべてが黒く厚い金属でできていて、人間の親指よりも太い鋲で固定されている。石炭が燃えて、かげろうが立ち、すべてがゆらめいて見える。そのせいで距離感がつかめない。

機関室の異臭に鼻がむずがゆくなってきた。腐った卵のようなにおいのなかに、タールのにおいがかすかにまじっている。口のなかの血の味を思いださせるものもある。たぶん、高温になった鉄のにおいだろう。

物陰から、男の姿があらわれた。グリブンズかと思って、びくっとしたが、そうではなかった。機関室の作業員のようだ。上半身裸で、筋肉がりゅうりゅうと盛りあがっている。炭塵におおわれた黒い肌には、汗の筋が何本も走っていて、黒と白の縞模様になっている。父が持っていたアフリカの本に出ていたシマウマのようだ。作業用の綿のズボンは汗びっしょりになっている。肩にシャベルをかついでいるが、身のこなしにも顔の表情にも疲労の色が濃くにじみでている。

男は蒸気機関の横を通りすぎ、そのまま別の戸口の向こうに消えていった。おそらく、船内のどこか奥深くの暗いところに、ハンモックがかかっているのだろう。

グリブンズはすぐ後ろまで来ているはずだ。急いで通路伝いに進むと、はしごの前に出た。上と下のどちらへ行くべきか。上へ行けば、デッキに近づけるのはたしかだが、そこに出られるとはかぎらない。デッキで機関員の姿を見たことはない。おそらく、乗客の目にふれるところに出るのは禁じられていて、航海のあいだじゅう、船の底の暗闇のなかで過ごしているのだろう。

だとしたら、下しかない。下まで行けば、機関室から出られる別の通路が見つかるかもしれない。

シャーロックは大急ぎで下におりはじめた。はしごをつかんでいる指が熱で焼けそうだ。蒸気機関の振動が手から全身に伝わり、歯まで震えている。熱さと薄い空気に頭がもうろうとしてきて、二度、手が汗ですべり、はしごから落ちそうになった。

それでもなんとかいちばん下までたどり着くことができた。だが息が苦しく、その場をはなれるまえに、そこに立ちどまって一息つかなければならなかった。

頭上の通路でドアが勢いよく開き、壁にあたる音が聞こえた。そして、一瞬の静寂のあと、こんどは通路の鉄格子の上をブーツの足音がひびきはじめた。

蒸気機関のあいだに細い通路があったので、そこに滑りこむ。両側には、いびつなかたちをした黒い鉄のかたまりがあり、パイプが縦横無尽に走っている。肩がそれにあたったとき、焼けるような熱さが伝わってきた。

通路の先は鋲打ちされた金属によってふさがれていた。圧力容器の一部だろう。行きどまりだ。逃げ道はない。

さいわいなことに、黒い鉄のかたまりのあいだは暗い陰になっている。できるだけ体を小さくし、できるだけ音をたてないようにしていれば、見つからずにすむかもしれない。

頭上のはしごでブーツの音がし、それから静かになった。床におりたったということだ。

グリブンズの声が聞こえた。

「いいか、小僧。おれの話を聞け。さっきは悪かった。ちょっとばかりやりすぎてしまったようだ。明るいところに出てこい。いい子だから。おさななじみのように話しあおう。こんなものはいつか笑い話になる。約束するよ」

信じるわけにはいかない。言っていることも、その口調も。出ていけば、殺されるに決まっている。

「だいじょうぶだって。なにも心配することはない」

グリブンズはつづけた。大きな機械音のなかで、その声を聞きとるのは容易ではない。

「おびえているんだな。わかってるよ。おれがこわいんだな。いいだろう。だったら、金の話をしよう。おれはおまえを始末するために金をもらっている。それはまちがいない。

でも、おれは話のわかる人間だ。ビジネスマンと思ってくれ。おまえの連れはおれを雇った連中よりもっといい条件を提示してくれるはずだ。いっしょにそこへ行って、話をしよう。話がまとまったら、おまえたち三人のことはすっかり忘れてやる。それでどうだ」

うそに決まっている。でも、そんなことを声に出して言うわけにはいかない。黙っていなければならない。

近くでバルブが急に開いたらしく、蒸気がふきでる大きな音がした。

「わかってるよ。そこにいるんだろ」

その声はさっきよりも近くなっている。グリブンズは歩きまわっている。言葉巧みに話をもちかけ、出てくるよう呼びかけるだけでなく、自分からもさがしている。

「さっきは悪かった。でも、やりなおしはきく。出てきて、話しあおう」

背中にパイプかなにかがあたっている。なかを蒸気が流れているらしく、上着とシャツを通して熱が伝わってくる。背中にはたぶん火膨れができかかっているのだろう。だが、後ろへさがったら、体の一部が明るいところに出てしまう。それでがまんをしていたのがいけなかった。結局、熱さに耐えられなくなり、背中を後ろに引いたとき、足がパイプにあたり、ベルのように大きな音がひびきわたった。

「なんだ、そこにいたのか。まあいい。とにかく話をしよう」

グリブンズの声は何メートルもはなれていないように思える。

通路の入り口に影が落ちた。天井の格子窓からさしこむ鈍い光に、グリブンズの頭と肩のシルエットが浮かびあがっている。手になにか持っていて、頭の上にふりかざしている。大型のスパナのようだ。

シャーロックは思った。ここは船の底だ。グリブンズにしたら、手間がはぶけてちょうどいいということになる。ここまで来たら、わざわざデッキまで運びあげて、海に投げすてる必要はない。火のなかに放りこんで、燃やしてしまえばいいのだから。作業員に小銭をわたして、少しのあいだよそ見をしていてくれと頼むだけで、簡単に片をつけることができる。

「出てこい。そんなところに隠れていないで、早く」

グリブンズの体は通路にはいってくる光を完全にさえぎっている。どこに隠れているかわかっているようだ。

グリブンズは立ちどまって、通路にはいってきた。

シャーロックは影のなかに体をちぢこまらせた。あと数秒で見つかってしまう。見つかったら、まちがいなく殺される。

そのとき、手が床にふれた。それから一瞬の間をおいて、気がついた。手はさっき背中にあたっていたパイプの下を通って床に届いたのだ。手を動かしてさぐってみると、パイプは床までのびているのではなく、その手前でまがっている。床にボルトで固定された柱によって支えられている。その下にもぐりこめるだけのスペースは十分にある。そこを這いすすんだら、どこかに出られるかもしれない。出られなければ、いまと同じように閉じこめられることになる。ただし、居心地はいまよりずっと悪くなるが。

床に手とひざをつき、腹ばいになる。汗でびしょびしょになったシャツが床にへばりつき、機械の下を這いすすむのは楽ではない。パイプの支柱をつかんで体を引っぱろうと思って、手をのばすと、支柱は焼けつくように熱い。

思わず悲鳴をもらしてしまった。

「そんなところに隠れているのか、この臆病者。あんまり世話をやかせるんじゃないぜ」

グリブンズが通路を走ってきた。スパナがパイプにあたって音をたてている。

シャーロックは意を決して、また支柱に手をかけた。てのひらが焦げそうだったが、なんとかがまんして、体を強く引っぱり、ひざと足で床をかいて、機械の下を這いすすんでいると、頭上に空間があることがわかった。よろけながら立ちあがると、機関室の反対側に出ていた。そこから別の通路がのびている。壁にはパイプがやはり縦横無尽に走っている。

その通路を走りはじめる。どこかにはしごかドアがあるにちがいない。

背後で金属音がひびいた。ふりむくと、通路のはずれにグリブンズが立っていた。スパナで金属の支柱をたたいたのだ。

「もういい。これでおしまいだ。よくがんばったが、もう逃げられない。観念しな」

「さっき言ってた取引は？」

グリブンズはにやりと笑った。

「知ったことか。残念だが、おれは約束を守る男でな。引きうけた仕事は、最後までやりとげる。途中で投げだしたりしない。おれはそんな無責任な男じゃない」

「じゃ、口先だけだったんだな」

グリブンズはうなずいた。

「そうとも。おまえがその言葉を信じて、自分から出てくるかもしれない。そういう可能性だってなくはないだろ」

グリブンズはスパナをふりまわしながら前へ進みでた。

闘う以外に選択肢はなさそうだ。シャーロックは武器になるものはないかと必死でまわりを見まわした。

スパナが鉄パイプにあたり、振動音が機関室にこだましている。

グリブンズは穏やかな低い声で言った。

「おれを見ろ。わかるな。おれの目を見るんだ。逃げようと思うな。運命を受けいれろ」

さとすような口調と機関室の熱気のせいで、催眠術にかかったみたいに頭がぼうっとしてきた。シャーロックはあわてて首をふった。しっかりと目を覚ましていなければならない。

通路の左右を見やったとき、なにかが目にとまった。はしごになにかが立てかけられている。スコップだ。作業員のひとりが交代の時間に置き忘れていったのだろう。持ち手の部分は炭塵で黒くなり、石炭をすくう部分は、火の奥深くにいれすぎたらしく、先端がとけている。

手をのばして、それをとると、体の前で斜めにかまえた。

グリブンズは残忍な顔つきになった。

「臆病者にも少しは勇気があるってことだな。金をかせぐってのは楽じゃない」

グリブンズは前に進みでて、スパナを横にふった。シャーロックはあわてて後ろにさがり、スパナはパイプにあたった。火花が飛びちり、顔がひりひりする。火花の一部が顔にかかったのだろう。

グリブンズはうなりながら体勢を立てなおすと、こんどはスパナを頭の上にふりあげ、そしてふりおろした。

シャーロックはそれをスコップでなんとか受けとめた。スパナはスコップの木の柄のまんなかにあたって、そこにへこみ傷をつくり、シャーロックはもう少しで通路にひざをつきそうになった。腕をつけ根からもぎとられたのではないかと思うくらいの衝撃があった。それでも、やみくもにスコップをふりまわした。と、その先がグリブンズのひざにあたった。

グリブンズは悲鳴をあげ、よろよろとあとずさる。

「この野郎！」

グリブンズはののしり、スパナをこん棒のようにふりまわしながら、ふたたび突進してきた。

シャーロックはスコップをあげた。そこにスパナがぶつかり、この世のおわりのような音をたてる。

グリブンズは後ろによろけた。その手からスパナがはなれ、くるくるまわりながら機関室の暗い底へ消えていく。シャーロックが持っていたスコップは通路に落ちている。

グリブンズは左手で右ひじをかばいながら、中腰になって立っていた。顔をゆがめて、獣のようなうなり声をあげている。

シャーロックはふりかえって、走りはじめた。

しばらく行くと、通路の分岐点に出くわした。そこを右にまがって、少し進むと、上の階へ通じるはしごがあった。ちらっと後ろをふりむいたとき、そこにグリブンズの姿はなかった。はしごをのぼりはじめたが、スパナをスコップで受けたときの衝撃で、肩に力がはいらない。

それでもなんとかのぼりきると、そこに通路と平行して走る車軸があった。太さはシャーロックの胴まわりくらいあり、潤滑油を光らせながらゆっくりとまわっている。それは機関室を横切り、壁の穴をぬけて、片側、あるいは両側の外輪につながっているのだろう。機関室の中央には、歯車やピストンやカムを複雑に組みあわせた機械が動いている。

シャーロックは通路ぞいの手すりに身を乗りだして、グリブンズをさがした。いない。影もかたちもない。

そのとき、下から足首をつかまれ、引っぱられた。シャーロックは通路に倒れた。そのまま下に引きずりおとされそうになったので、あわてて手すりをつかんだ。

通路の鉄格子ごしにグリブンズの顔が見えた。足首をつかんでいるのは、グリブンズの手だった。

「手間をかけやがって。こうなったら、おまえの連れもたっぷりいたぶってやる。そのことを考えながら、ゆっくり死んでいきな」

シャーロックは答えるかわりに、つかまれていないほうの足でグリブンズの指を踏みつけた。うめき声がもれ、指が足からはなれた。

シャーロックは体をまわして立ちあがった。

はしごの上に、グリブンズの顔があらわれ、それから体があらわれた。顔は憎しみでゆがみ、歯はむきだしになっている。

「金のことはもうどうだっていい。とにかくおまえを許すわけにはいかない」

シャーロックはゆっくりとあとずさった。グリブンズははしごをのぼりきり、通路に足を踏みだした。背中を丸め、指をまげている。しみひとつなかった白い制服は汚れて、しわだらけになっている。

腰になにかあたったので、見ると、もう通路のはしまできていた。腰にあたったのはパイプを流れる蒸気の量を調整するハンドルだった。その横では、巨大な車軸が軸受けの上でまわりつづけている。そこにはピストンの直線運動を回転運動へ変えている機械があり、カムが馬の頭のように上下にひょこひょこ動いている。

その技術の高さには舌を巻かずにはいられない。このような機械を見て、そのしくみを学びたいと思わない者はいないだろう。

ただ、なにかを学ぶ機会がふたたびあるかどうか。グリブンズは両手をのばしている。もう少しで首をつかまれる。距離はじわじわと縮まる。

「まったく割りのあわない仕事だよ」

首に指がかかり、しめつけられた。苦しくて、目が飛びだしそうになる。息を吸おうとしても、灰に空気がはいってこない。グリブンズの手首は鉄でできているかのように固い。つかんで、必死で引きはがそうとしたが、まったく動かない。それで手首はあきらめて、指をつかんだ。指ならはずせるかもしれない。視界は真っ赤になり、かすんでいる。胸が焼けるように痛い。黒い点が目の前にちらつき、グリブンズの顔がぼやけはじめる。

最後の力をふりしぼって体をよじると、グリブンズはよろけて通路の手すりに寄りかかった。だが、手は首からはなれない。そのすぐ横で、カムは上下運動をくりかえしている。ふたりの顔から十センチもはなれていない。そこで、金属のかたまりが空気をふるわせている。

グリブンズはたけり狂い、目は憎悪に満ちあふれている。

シャーロックはわざと力が尽きたようにひざを折った。それで、グリブンズは一瞬気をぬいて、手の力をゆるめた。

シャーロックはひざをつくかわりに、手をグリブンズの指からはなして、ベルトをつかんだ。両足を踏んばり、両腕にあらん限りの力をこめて、グリブンズの体を持ちあげる。
グリブンズの足が宙に浮いた。体が横向きになり、手すりの外に出る。

もう少しで手すりをこえる。だが、首にはまだグリブンズの手がかかっている。このままでは、道連れにされてしまう。

そう思った瞬間、グリブンズの上着がカムに引っかかった。カムは上下運動をくりかえしながら、布を引っぱりはじめた。その体が通路からはなれたとき、怒りと恐怖のいりまじった絶望的な悲鳴があがった。

それで、ようやく首から手がはなれ、息ができるようになった。

前を見ると、グリブンズの体は回転する車軸に巻きつき、上下運動をくりかえすカムにもてあそばれている。

機械の動きが弱まる気配はない。

シャーロックは背中を向けた。これ以上は見たくない。

肺にできるだけ多くの空気を送りこむため、体をふたつに折り、ひざに手をつく。いくら吸っても足りないので、一瞬窒息するのではないかと思ったが、しばらくしてだんだん楽になってきた。赤くてぼやけていた視界も元にもどり、息をしても胸が痛くなくなると、体をまっすぐにして、周囲を見まわした。

グリブンズの姿はもうどこにもなかった。車軸の潤滑油とカムがさっきより少し赤みがかって見えただけだった。

はしごをおり、機関室を横切ると、ドアが見つかった。はいってきたときと同じドアなのかどうかはわからなかったが、とにかくそこから廊下に出ることができた。空気はひんやりとしていて、すがすがしく、地獄から天国に来たみたいだった。

デッキに出ると、乗客たちにじろじろ見られたが、気にはならなかった。とにかく部屋にもどって、炭塵や油を洗い流し、服を着かえたかった。船には洗濯をするところがあるはずだ。洗濯係がいなければ、自分で洗えばいい。

船室のドアをあけると、なかにエイミアス・クロウがいた。

クロウはふりむいて、シャーロックの顔と服を見つめた。

「どうしたんだ。いったいなにがあったんだ」

「ぼくを殺そうとした男がいたんです。ぼくたちが追いかけている連中に港で雇われたそうです。今週出港する船全部に、同じような男がひとりずつ乗っています」

「もしかしたら、ひとりじゃないかもしれん。でも、そのことはあとで考えよう。きみを殺そうとしたのはだれだったんだ」

「ウェイターです」

「いまどこにいる?」

「もう食事の世話をしてくれることはないと思います」

シャーロックは体を洗い、服を着かえながら、一部始終を話した。クロウは黙って話を聞いていた。話がおわると、クロウは手をあげた。

「よくわかった。それで、気分はどうだね」

「疲れていて、喉がかわいていて、体じゅうが痛みます」

「そうだろう。それで、気分は?」

シャーロックはとまどいを覚えた。

「どういう意味ですか」

「ひとりの人間が死んだ。きみのせいで。そういうことがあったあと、ふつうは罪の意識にかられ、思い悩むものだ」

シャーロックは考えた。たしかにひとりの人間が死んだ。自分のせいで。もちろん、それはじめてのことではない。モーペルチュイ男爵の用心棒クレムはマティの舟から落ちて死んだ。でも、あれはマティに棹で後頭部をなぐられたからだ。モーペルチュイ男爵の右腕のサードはハチに刺されて死んだ。でも、あれはかぎりなく事故に近い。倒れこんだところに、たまたまハチの巣があっただけだ。海上の要塞が爆発して炎上したとき、そこにいた男たちは、焼け死んだり、海に飛びこんでおぼれ死んだりした。でも、自分が直接手を下したわけではない。

直接かかわったという点では、やはり今回が最初ということになる。

「ぼくはそんなに信心深いほうじゃありません」と、シャーロックは答えた。「〝なんじ殺すなかれ〟という神のいましめにも疑問を持っています。もちろん、法律は必要だと思います。法律がなければ、ひとは簡単にひとを殺すようになり、社会は機能しなくなります。兄がくれた『国家』のなかにも、そのようなことが書かれていました。ただ、あのウェイターはぼくを殺そうとしたんです。反撃しなかったら、ぼくは殺されていたはずです。最初から殺そうと思っていたわけじゃありません。襲いかかってきたのは向こうなんです」

クロウはうなずいた。

「きみはまちがったことをしていないと思う」

「本当にそうなんでしょうか」

「断定はできないし、それが正しい答えかどうかもわからない。ジレンマだ。社会の秩序が保たれるのは、人々がルールを守っているからであり、そこにはひとがひとを殺すようなことがあってはならないという前提がある。だが、ルールの外で生きることを選ぶ者がいたら、どうすればいいのか。手をこまねいて見ているのか。それとも、相手と同じ武器を持って闘うのか。前者を選択すれば、社会は犯罪者のものになる。悪人はつねに善人より残忍であり、より激しく闘う準備ができている。後者を選択した場合、自分自身も彼らと同じようにならないためには、どうすればいいのか」

クロウは言いながら首をふった。

「結局のところ、わたしに言えることはひとつしかない。ひとの命をなんとも思わなくなったら、そのときはあきらかに一線をこえてしまっている」

「兄さんはこんなことが起こることを予想していたんでしょうか。だから、ぼくにあの本をくれたんでしょうか」

「そんなことはないと思うよ。でも、きみのお兄さんは利口な男だ。きみがいつかはそういった疑問を抱くようになると思っていたのだろう。それで、きみに答えを見つける道具をわたしたということだろうね」

10

真っ昼間だったが、シャーロックは少し眠った。眠りは浅かった。夢のなかで、マティは暗いところに閉じこめられ、縛られ、助けを求めて泣いていた。

目が覚めたとき、シャーロックの頬も涙でぬれたいた。ここがどこで、なにがあったのか思いだすまでに、少し間があった。

あちこちの筋肉が痛み、肺は焼けるような感じがする。喉にはグリブンズの手のあとがあざになって残っているにちがいない。とんでもないことをしてしまったという思いはそんなにない。悔いはある。できれば、そんなことをしたくなかったという気持ちはある。でも、それ以上のものはない。

横になっていると、どうしてもマティのことを考えてしまう。それで、別のことを頭に思い描くことにした。たとえば、グリブンズの手首で青く光っていた入れ墨のこととか。そのおかげで自分をつけねらっていたのがグリブンズだったということがわかった。入れ墨(ずみ)はもちろん装飾的(そうしょくてき)なものだが、それだけではない。それは身元確認や識別のための手段であったりもする。グリブンズの話によると、絵柄(えがら)から入れ墨(ずみ)を彫(ほ)った者がわかる場合もあるらしい。絵を見て、それを描(えが)いた画家がわかるのと同じだ。

しばらくして、いつまでもベッドに横になっていてもしかたがないと思うようになり、起きあがって外へ出た。

陽光がスコティア号のデッキにさんさんとふりそそいでいる。まわりにはどこまでも平らな水平線がひろがっている。ひっくりかえした青い磁器のボウルのまんなかにいるような感じがする。船が動いているという感覚はない。海鳥も空中に静止しているように見える。

ふと気がつくと、バイオリンの音楽が流れていた。ルーファス・ストーンだろうか。たぶんそうだろう。一隻(せき)の船にふたりのバイオリニストが乗っているとは思えない。特定のフレーズの最後を必要以上に強調したり、左手の指がときどき複雑なアルペッジョをこなせなかったりといった、ストーンの演奏の特徴(とくちょう)も少しずつわかりかけてきている。

さがしにいくと、ストーンは船首に近いいつもの場所にいた。このときは聴衆(ちょうしゅう)はいなかった。もう飽(あ)きてしまったのかもしれない。

ストーンは演奏をつづけながら言った。

「もう来ないんじゃないかと思いはじめていたところなんだよ」

「すみません……午後からちょっと忙しくて。でも、ちゃんと来ましたよ」

ストーンは演奏をやめ、バイオリンをおろした。

「じゃ、さっそくはじめよう。けさのレッスンのおさらいからだ。でも、そのまえになにか質問があれば、どんなことでも聞いていいよ」

シャーロックはちょっと考えた。

「じゃ、いちばん好きな曲はなにか教えてください」

ストーンも少し考え、それから答えた。

「そうだな。たとえばヘンリク・ビェニャフスキとか。バイオリン協奏曲をいくつか書いているんだがね。そのなかでももっとも気にいっているのは二番のニ短調だ。それから、ジュゼッペ・タルティーニの悪名高きバイオリン協奏曲ト短調。バイオリニストの腕が試される曲だ」

「悪名高きって言うと?」

「もっともよく知られているのは『悪魔のトリル』という曲だ。タルティーニが夢で悪魔がバイオリンをひいているのを見て、目が覚めたときに、その曲を楽譜に起こしたものと言われている。そう簡単にひくことはできない。この曲を演奏する技術を手にいれるためにタルティーニは悪魔に魂を売ったという批評家もいるくらいだ」

「まさか」

「ばかげている。でも、話のたねにはなる。コンサートの演奏曲目がどこか不気味で、おそろしげだとしたら、聴衆の興味もそれだけ大きくなるからね」

　ストーンはバイオリンをさしだした。

「では、午前中のおさらいからはじめよう」

　午後の残りの時間、シャーロックはバイオリンの弓のいろいろな使い方の練習をした。この段階ではまだ音階を気にする必要はなかった。まずはデタッシュと呼ばれるもっとも基本的な技法から。左手でバイオリンのネックを支え、右手で持った弓で弦をなめらかに流れるようにひく。それから弦を指で押さえる。最初は一本だけだが、じょじょにその数を増やしていく。そうやって単なる音は短い旋律になっていったが、ストーンはなかなか満足せず、それだけで何時間もかかった。

　残りの航海もずっとこんな調子でつづいた。朝食後、デッキで二時間バイオリンの練習をし、そのあとストーンといっしょに昼食をとりにサロンへ行く。それからさらに二時間の練習。そのあと、船室にもどって休憩し、プラトンの『国家』を読む。そしてさらに二時間の練習。それから夕食。

夕食のあとは、エイミアス・クロウと図書室で過ごすことが多い。だが、クロウの一日の大半はバージニアと過ごすことにさかれ、シャーロックのレッスンにあてられる時間はほとんどない。時間だけではなく、レッスンのテーマもない。クロウはたまたま見つけたものやあらかじめ目をつけていたものを題材にしてレッスンをする。だから、陸地のまったく見えない海の上では、レッスンのしようがないのだ。

航海のあいだ、バージニアの姿を見ることはほとんどなかった。デッキに出るのも、だれかと話をするのも気が進まないらしく、ずっと船室にこもりきりだという。二、三度見かけたときには、その肌は透きとおるように青白く、この先だいじょうぶなのかと心配になるくらいだった。クロウの話だと、ニューヨークからリバプールへの航海の途中、母親をなくしたことを思いだし、気がめいっているらしい。

ある日の夜、クロウは図書室でこんなふうに言った。

「心の病だ。単調な日々とサンディアをイギリスに残してきたさびしさが、病をさらに悪化させている。おそらく、きみも気づいていると思うが、バージニアはアウトドア派だ。閉じこめられるのがきらいなんだ。船をおりたら、すぐに元にもどると思うよ」

航海のあいだじゅう、天候は驚くほど安定していた。一度だけ空が暗くなり、スコールに見舞われ、そのときはシャーロックの部屋でバイオリンの練習をしたが、それ以外は、空は青く、海は穏やかだった。少なくとも船の大きさに比べれば、波は小さく、航海に影響を与えるようなものではなかった。

四日目に、乗客たちを興奮させることが起きた。ほかの船が見えるという船内アナウンスがあったのだ。このときは、みなかわるがわる望遠鏡を手に持って、遠くの水平線に見える小さな点を見つめていた。

エイミアス・クロウはこれをレッスンの材量にし、二隻の船がたがいの視界にはいる確率はどのくらいあるかと聞いた。大西洋は広いが、どの船もたいていは同じ航路をたどっている。同じときに海に出ている船は、数十隻ではきかないだろう。となると、二隻の船がたがいの視界にはいる確率はひじょうに高い、というのが結論だった。

夜に二隻の船がすれちがったときには、ランタンの窓の開閉によって合図を送りあっているという話も聞いた。としたら、自分たちを殺そうとしている男たちが秘密のメッセージを交わしあう可能性もなくはない。だが、そういったことをするためには、何人もの船員の協力が必要になる。いくらなんでも、そんなことはないだろう。それに、船室を荒らされたり、三人のうちのだれかが襲われたりすることは、もう二度となかった。スコティア号の船員で陰謀に加担していたのはグリブンズひとりと考えて、まちがいないだろう。

ウェイターがひとりいなくなったことは、乗客たちのあいだでは気づかれもしなかったし、船員たちのあいだでも、大きな騒ぎにはならなかったにちがいない。海に落ちたかもしれないということで、船が途中であともどりすることもなかった。もしかしたら、衣服の切れはしが機関室の機械のあいだにはさまっているのが見つかり、酔っぱらって通路から下に転落したという結論を出したのかもしれない。

バイオリンのレッスンはその後もつづいた。弓の使い方は一種類だけでなく、レガート、コレ、マルトレ、スタッカート、スピッカート、ソーティエといったいろいろな技法があり、シャーロックはそれを次々にマスターしていった。左手の指で四本の弦を押さえて、和音を出すこともできるようになった。ただ、まだ曲をひくことはできなかった。ルーファス・ストーンは基本に忠実で、実際に曲をひくのはそれができてからという考えの持ち主であり、シャーロックもその点に異論はなかった。

航海が中盤にさしかかったある日、シャーロックはレッスンのあいまにたずねた。

「船をおりたあと、どうするつもりなんです」

「そこには、チャンスにあふれた輝かしい世界が待っている。とりあえずは音楽教師からはじめる。運がよければ、オーケストラの一員となって、金をかせぐつもりだ。きみとはそこでお別れだ。きみがなにをしにニューヨークに行くのか知らないが、とにかく目的を達成できることを祈ってるよ」

航海五日目、バイオリンのレッスンのあいまに、シャーロックは船首まで歩いていき、手すりによりかかって、前方の青い水平線を見つめていた。

そこにいるのはシャーロックだけではなかった。ほかにも何人かの乗客が風や波や雲をながめていた。陸地が視界にあらわれるには、まだ早すぎる。おそらく、船長が話していた大嵐（おおあらし）や海の巨大（きょだい）生物に想像がふくらんで、陸地では考えられないようなものが見つかるかもしれないと期待しているのだろう。が、たぶんなにも見つからない。見つかるのは、せいぜい流氷くらいだ。

冷たい風から身を守るように分厚いコートを着こんでいる男の姿が、ふと目にとまった。あごにも口もとにも、ワックスで先端（せんたん）をカールさせた黒いひげをはやしている。海に背中を向け、鉛筆（えんぴつ）でノートに線を書きなぐっている。

が、どうやらそれは単なる線ではなく、なにかのスケッチのようだった。シャーロックは体の位置をずらして、男がなにを描（えが）いているのか見ようとした。

紙に描（えが）かれていたのは、太い葉巻のように見える、両端（りょうたん）がとがった筒状（つつじょう）のものだった。内側は壁（かべ）か柵（さく）のようなもので細かく仕切られている。

「この絵に興味があるのかね」

男は顔をあげて言った。強いなまりがある。ドイツなまりのようだ。

「すみません。ほかのひとたちみたいに海を見ないのはどうしてだろうと思ったものですから」

「海に興味はない。興味があるのは空だ。旅の移動手段はもうすぐ変わる。嵐や波に影響される船ではなく、気球になるんだ」

「気球？　それのことですか？」

シャーロックはノートの絵にあごをしゃくった。

男はシャーロックに鋭い視線を投げ、それから口もとをほころばせた。たぶん笑ったのだろう。が、もしかしたら、鼻息を荒らげただけかもしれない。

「きみはどうやらスパイではないようだね。スパイにしては若すぎる。きみが好奇心旺盛なだけで、邪心などかけらも持っていないことは、きみの目を見ればすぐにわかる。わたしのアイデアは母国ではまったく評価されなかった。だから、アメリカに向かっているんだよ」

シャーロックは右手をさしだした。

「ぼくはシャーロック・ホームズです。はじめまして」

「わたしはフェルディナンド・アドルフ・ハインリヒ・オーガスト・グラーフ・フォン・ツェッペリン伯爵だ」

男は仰々しく頭をさげ、それから握手をした。

「丸い枠にニスを塗ったシルクをはって、大きな気球をつくり、そこに空気より軽い気体を詰める。そうやって、海の上を飛ぶんだ。そこから下を見たら、波ではなく、雲が見えるはずだ」

「空気より軽い気体っていうと?」

ツェッペリン伯爵はうなずいた。

「いい質問だ。フランス人は温めた空気を使っているが、大きな気球に利用することはできない。アメリカ軍は製鉄所のコークス炉から発生するガスで良好な結果を得ている。わたしは水素がいいと思っている」

「でも、どうやって動かすんですか。気球は空気に流されるだけじゃないんですか」

「そうじゃない。わたしが考えている気球は、自力で動く。エンジンや櫂がついているんだ。エンジンと櫂があれば、船が海を進めるように、気球も空を進むことができる」

シャーロックは半信半疑だった。

「本当にそんなことができるんですか」

ツェッペリン伯爵はほほえんだ。

「わたしは研究に研究を重ねてきた。四年前には、アメリカで北軍の監視員をしていた。

そのときに、偵察用の気球にはじめて乗ったんだよ。気球研究の第一人者タデウス・ロー教授にも会っている」

ツェッペリン伯爵の気むずかしそうな顔は、気球の話になると、急に生き生きする。

「ロー教授はこの船と同じく大西洋を横断するための気球をつくった。グレート・ウェスタン号といってな。直径は約三十メートルで、積載能力は十二トンもあった。戦争前、ロー教授はその気球でフィラデルフィアからニュージャージーまでの飛行を成功させていた。だが、大西洋横断の最初の試みは、気球が風のために破れて失敗におわり、戦争がはじまると、その計画を実行に移すことはできなくなった。そのかわりに、ロー教授はリンカーン大統領の要請によって陸軍気球部隊なるものを組織した。わたしはその手助けをしにいくんだよ」

ツェッペリン伯爵は言いながら肩をすくめた。

「戦争というのは不思議なものだ。進歩の妨げとなることもあれば、進歩を促進することもある。このまえの戦争がなければ、大統領が気球の開発に興味を持つことはなかっただろう」

「シャーロック！」

バージニアの声だ。ふりかえると、少しはなれた救命ボートの陰に立っている。顔色は依然としてよくないが、口もとには笑みが浮かんでいる。

シャーロックはツェッペリン伯爵に言った。

「すみません。行かなきゃなりません」

ツェッペリン伯爵はまた仰々しく頭をさげた。

「気にしなくていいよ。女性はなによりも大事にしなきゃならない」

「あなたは結婚しているんですか」

気むずかしげな顔がほころんだ。

「結婚の約束はしている。イザベラ・フライン・フォン・ウルフといってね。世界一の美女だよ」

ツェッペリン伯爵はバージニアにちらっと目をやり、それからまたシャーロックのほうを向いた。

「きみはそう思わないかもしれないがね」

シャーロックはほほえんだ。このドイツ人伯爵には好感が持てる。

「またお目にかかることができればいいんですが」

「船の広さも、乗客の数もかぎられている。そのうちにまた会えるだろう」

シャーロックはバージニアのほうへ歩いていった。

「航海のあいだじゅう船室で過ごすつもりかと思っていたよ」

「わたしもよ。狭い部屋に閉じこもっているのは好きじゃないんだけど、どうしようもなくて」

青白い頬に赤みがさし、バージニアは顔をそむけた。

「そうなの……パパから聞いたと思うけど、このまえの航海を思いだしちゃって。そのときにママが死んだの」

「そうだってね」

「それに、船酔いが追い討ちをかけた。馬に乗るくせに、船酔いするなんておかしいと思うでしょ。でも、本当にひどかったの」

「それで、いまは?」

「同室のひとがハーブ・ティーをいれてくれてね。おかげで、きょうはまだ吐かずにすんでる」

シャーロックはほほえまずにはいられなかった。どんなことでもこんなふうに率直に話すのが、バージニアのいいところなのだ。イギリス人とはずいぶんちがう。

「お母さんのこと、お気の毒に思ってるよ。とてもつらい思い出だね」

バージニアは黙りこみ、一瞬の間があった。

「そう。船に乗るまえからそうだったのか、船の上でそうなったのか、どちらかよくわからないんだけど、ママは一週間ずっとすごく具合が悪かったの。どんどんやせていって、顔色も悪くなって、結局死んでしまった」

目から涙がこぼれ、頬をゆっくりと伝いはじめた。

「遺体は海に沈められたわ。港に着くまで遺体を保管しつづけることはできないからって。だから、キャンバス地の布に包み、お祈りをして、船の側面から海に落とした。それがいちばんつらかった。おまいりするお墓もないのよ」

短い沈黙のあと、シャーロックは言った。

「ぼくの母も病気なんだ」

そんなことを言うつもりはなかったのだが、言葉は自然に出てきた。

「病気って?」

「だれもなにも教えてくれないんだ。たぶん、肺の病気だと思う」

「肺の病気?」

「結核だよ。顔色が悪くて、やせこけ、いつも疲れているように見える。咳をしたときには、かならずハンカチに血がついている。父さんや兄さんはそれをぼくに見せないようにしているんだけどね」

いったん話しはじめたら、もうとまりそうもなかった。

「家の図書室で本を調べて、そういった症状を見つけたんだ。結核という病気には、治療法がないらしい。少しずつ弱っていき、最終的には死んでしまう」

バージニアが近寄ってきて、シャーロックの肩に頭をあずけた。

「わたしのママは長く苦しまなくてすんだ分だけましだったのね。そんなふうに考えたことはなかったけど、それがせめてもの救いだったのかもしれない。何週間も、何か月も、何年も苦しまなきゃならないなんて、あまりにも残酷すぎる」

シャーロックは涙をバージニアに見られないように顔をそむけた。

「本当に見つかるのかしら」

「だれのこと?」

「マティよ」

胸が詰まった。同じ質問を何度も自分に問いかけたが、いまもって答えは出ていない。

「きっと見つかるよ。だいじょうぶ。あいつらがマティを殺さなきゃならない理由はなにもない」

「それじゃ、答えになってないわ。自分でもわかってるでしょ」

シャーロックは無理に話題を変えた。

「ところで、船のなかを見てまわった?」

「あんまり。ずっと寝てたから」

「だったら、案内するよ」

シャーロックは船尾から船首までバージニアをあちこち案内してまわった。家畜小屋も見せた。航海五日目で、家畜の数はずいぶん減っているようだった。

船首の近くで、バージニアはシャーロックの腕に手を置いた。

「船員と争ったってパパが言ってたわ。だいじょうぶ?」

「ぼくはいつもだれかと争わなきゃならなくなる」

「そのときにそなえて鍛えておかなきゃ」

「いまのところはなんとかなってるよ。少なくとも殺されてはいない」

「なにがあったの。聞かせて」

シャーロックはグリブンズとのあいだで起こったことの一部始終を話した。エイミアス・クロウに話したときとちがい、感情的になりすぎ、気持ちをおちつかせるためにときどき話をとめなければならなかった。このときのほうが、なぜか話に、より現実感があるように思えた。それは事実の報告にとどまらなかった。

話しおえると、バージニアはシャーロックの腕を握りしめた。

「だいじょうぶ?」

「たぶんね」

「ショックを受けてる?」

シャーロックはとまどってバージニアを見つめた。

「えっ?」

「ひとの死に責任があることに。それが自分のせいだとわかってるってことに」

シャーロックは肩をすくめた。

「かもしれない。でも……でも、どう反応したらいいのかわからないんだ。どれが正しい反応なのかわからない」

「アルバカーキにいたころ、パパは旅から帰ってくると、よく椅子にすわりこんで、ウイスキーをがぶがぶ飲んでいたわ。話しかけても、なんにも答えてくれなかった。そのころは、パパがなにをしていたかも、どこにいたかも知らなかった。パパが殺し屋や裏切り者を追いかけていたことを知ったのは、ずっとあとになってからのことよ。自分を納得させられないことも何度かあったみたいだったわ……要するになにが言いたいのかというと、なにも気にならなくなったり、なんの反応もしなくなったら、おしまいだってこと。そのときには人間らしさを失ってるってことだから」

バージニアは身を乗りだし、シャーロックの頰に軽くキスをした。冷たい風のなかで唇のあたたかさが伝わってきた。

「行くわ。少し横になりたいの。夕食の席で会いましょ」

バージニアは立ち去った。頰には唇のあたたかさがまだ残っていた。

航海の最後の三日間は、することがなにもなくなってしまったせいか、乗客たちのあいだにはギャンブル熱が高まっていて、陸がはじめて見える時間から、ニューヨーク港へ案内するために乗りこんでくる水先案内人の名前まで、賭けの対象にならないものはなかった。

シャーロックはそういった乗客たちからはなれたところで、だが彼らと同じ熱心さでバイオリンのレッスンに励みつづけた。弦を押さえる左手の指には、水ぶくれができたくらいだった。

そして、航海最後の日には、これまで習ったことの総ざらいをかねて、実際に曲の一部を演奏することをはじめて許された。

達成感は大きかった。

「ぜひバイオリンを買ってもらいたまえ」と、ストーンは言った。「できることなら、なるべくいいバイオリンを。ツゲ材をニカワでくっつけた安物じゃなくて。きみにはバイオリンの才能がある。指は長く、細く、しなやかだ。きっとうまくなれる。もちろん、それは世界の一流バイオリニストになれるということじゃない。そのためには五歳からレッスンを受けなきゃならない。でも、いっしょうけんめい練習をつづけたら、劇場のオーケストラの一員として食べていけるくらいにはなれるはずだ」

船首にいる乗客たちの声によって会話は中断させられた。陸が見えたらしい。

シャーロックは急いで見にいった。

水平線に黒い影が浮かんでいる。アメリカだ。数時間ののちに、そこにもっと近づくと、それは岩だらけの丘や崖だとわかった。意外なことに、イギリス南部の景色とそれほど変わらない。けれども、そこに漂っている空気はなんとなく異国のにおいがする。

そこから船は向きを変え、右側に海岸線をのぞみながらニューヨークへ向かった。港に着くまでにはまだ数時間あるが、乗客たちのなかには、あわてて荷物をまとめにいく気の早い者もいた。

最後の食事はパーティになり、お祝いのケーキとシャンパンがついた特別料理がふるまわれた。シャーロックはおさえぎみに食事をすませ、早めに席を立った。到着前に少しでも睡眠をとっておきたかった。なぜかそうする必要があるような気がしてならなかったのだ。

船がニューヨーク港に近づくと、シャーロックはデッキに出た。デッキには、大勢の乗客がいて、いくつもの小さな島があらわれては消えるのをながめていた。

途中で小舟から乗りこんできた地元の水先案内人の指示にもとづいて、船はゆっくり慎重に進んでいる。

シャーロックのとなりには、エイミアス・クロウが立っていた。

「ここを航行するのは簡単じゃない。世界有数の難所といってもいい。三つの水域がここで出あっている。大西洋と、ハドソン川と、ロングアイランド湾だ。それに、付近には五十あまりの小さな島があり、ハドソン川以外にも三十以上の川が流れこんでいる。潮流はとても複雑にからみあっている」

「これからどうする予定ですか」

「まず最初にしなきゃならないのは、当局に連絡をとることだ。これはわれわれだけでなんとかなる問題じゃない。わたしが帰国したことを報告する必要もある。ここにはわたしの友人が大勢いるから、彼らの力を借りて、マティを見た者がいないかどうか調べてみるつもりだ。われわれがここに来ることはきみの兄さんが電報で知らせてくれていると思う。桟橋には迎えの者が来ているはずだ。船をおりたら、グレート・イースタン号がいつ到着したかを確認する。もしまだ到着していなかったら、ここで待つ。到着していたら、あとを追う。どんなことがあっても連中を見つけだす。見つけだしたら、ただじゃおかない」

11

船からおりるのは一苦労だった。みないっせいに荷物を持ってタラップに押しよせたので、乗客の数が急に倍にふくれあがったかのように見えた。三等船室の乗客たちもデッキに出てきて、まぶしい陽光に目をしばたたいている。

船からおりると、乗客たちは倉庫のような大きな建物にはいり、そこで机の前に列をつくった。いかめしい顔をした制服姿の入国審査官から書類のチェックを受けるためだ。

あちこちから、さまざまななまりが聞こえてくる。乗客の最終目的地もシカゴ、ペンシルベニア、ボストン、バージニア、ボルティモアなどさまざまだった。

列のひとつにルーファス・ストーンの姿があった。肩にバイオリンのケースをかけている。それ以外に荷物らしい荷物は持っていない。

ストーンはふりむき、シャーロックを見ると、ウィンクをした。シャーロックはほほえみをかえした。

ツェッペリン伯爵も別の列にいた。身をこわばらせ、顔をしかめている。待つことに慣れていないのかもしれないし、人ごみが苦手なのかもしれない。まわりを見まわすこともなく、まっすぐ前方を見すえている。この建物から出ていきたくてうずうずしているのはあきらかだった。

港は広く、埠頭には多くの船が係留されていた。大半は外輪船だが、なかには小さな帆船や、後ろの車軸に金属製のブレードがついた鉄の船もある。

気温は高く、湿気が多い。そのうえに下水のにおいまでする。なるべく息をしないようにして、シャーロックは待った。クロウがとりわけいかめしい顔をした入国審査官との話をすませると、三人はようやく建物の外に出ることができた。

アメリカ！　はじめての外国！

シャーロックは興奮ぎみに周囲を見まわした。イギリスとはどこがちがうのか。空はどちらも同じように青い。通りを行きかう人々の外見もさほどに変わらない。でも、どこかがなんとなくちがう気がする。服の仕立て方か、建物のつくりか、それとも、よくわからないなにかがあるのか。とにかく、イギリスとはちがう。

一行は建物を出たところに長い列をつくっていた辻馬車の一台に乗りこんだ。道路は未舗装だが、驚くほど広い。建物の多くは木か茶色い石でできている。木造のものは一階か二階建てが多いが、石づくりのものは四階か五階まである。玄関の前にはたいてい石の階段がついている。

港の近くにある建物の大半はホテルかレストランか酒場だったが、街のなかへはいっていくと、店やオフィスや大きな共同住宅が目につきはじめた。

通りの角では、小さな子どもが薄っぺらな新聞を頭の上でふりながら、見出しの刺激的な言葉を大声で叫んでいる。〝手のない死体を発見〟とか、〝銃を持った強盗〟とか、〝政治家に巨額のワイロ〟とか。売られている新聞の種類はじつに多い。サン、クロニクル、イーグル、スター……ほかにもいろいろある。

辻馬車は港の近くにあったのよりもずっときれいなホテルの前でとまった。ひとはここでふるいにかけられているように見える。三等船客は港の近くの薄ぎたない安宿にとまり、裕福な者はそこからはなれ、清潔で快適だが物価の高い地区へ向かう。

クロウは辻馬車からおりると、バージニアに手を貸しながら言った。

「ジェラビー・ホテルだ。まえに泊まったことがある。少なくともそのころはまずまずのホテルだった。ピンカートン社はこのすぐ近くにある。ちょっと待っていてくれ。なかにはいって、あいているかどうか聞いてみる。宿が決まったら、ニブロズ・ガーデンで夕食をとろう。街でいちばんうまい店だ」

クロウがフロントで話をしているあいだ、シャーロックはまわりを見まわしていた。ホテルのなかは外より暑いが、足もとには分厚い絨毯が敷かれ、掃除もいきとどいている。ロビーにいる人々の身なりもいい。聞こえてくるのはクロウやバージニアと同じアクセントの英語がほとんどだが、ほかの言葉もいくつかまじっている。フランス語、ドイツ語、ロシア語。どこの国のものかわからない言葉もいくつかある。

クロウが笑顔でもどってきた。

「広い部屋がとれたよ。三つの寝室に居間がついている。マティがもどってきたときは、きみといっしょでいいね、シャーロック」

「もちろんです」

〝もどってきたら〟ではなく、〝もどってきたとき〟という言葉には、心をなごませる響きがあった。

三人は階段をあがって、自分たちの部屋に向かった。部屋は三階だったが、それはシャーロックが考えていたよりひとつ下の階にあった。

「どうしてなんでしょう。ここは二階のはずなのに」

「そうそう。これもイギリスとアメリカのちがいのひとつなんだよ」と、クロウは答えた。

「イギリスでは地上階があって、それから一階、二階となる。でも、アメリカでは地上階のことを一階と呼び、そこから二階、三階となっていく」

「ほかに知っておいたほうがいいことはありますか」

「そうだな。お金の単位は覚えておいたほうがいいだろう。イギリスではポンド、シリング、ペンスだが、ここではドル、ダイム、セントとなる。きみにも少しわたしておく。なにかあったときのためにね」

いい部屋だった。居間には二脚のソファーと数脚の椅子と机がある。窓からは通りを見おろすことができる。寝室は狭いが、ベッドはホームズ荘のよりずっと柔らかい。豪華なホテルではないが、料金には十分に見あっている。

シャーロックはクロウに聞いた。

「散歩してきてもいいですか」

少し間があった。

「迷子にならずに帰ってこられるかい」

「だいじょうぶです」

「街は碁盤の目のようにつくられている。とてもわかりやすい」

クロウは机の前に歩いていって、ホテルのレターヘッドが印刷された用紙を手にとった。

「もしも道に迷ったら、だれかに聞けばいい。住所はここに書かれている。街角でやっているトランプ・ゲームはいかさまだ。誘いにのらないように。金を見せびらかしちゃいけない。言葉づかいはていねいに。ファイブポイントという地区にはいりこんでしまったら、できるだけ早くそこからぬけだすこと。テレビン油や接着剤の工場が立ちならんでいるから、そこがその場所かどうかは、においですぐにわかる。いま言ったことを守れば、危険な目にあうことはないはずだ」

クロウはポケットをさぐり、ひとつかみの紙幣とコインをさしだした。

「おなかがへったら、食べものを買いなさい。帰りの辻馬車に使ってもいい」

「先生はこれからどうするんですか」

「グレート・イースタン号がいつ着いたかをたしかめなきゃならない。もしまだなら、いつ着く予定なのか聞いてくる」

もしかしたらバージニアもいっしょに散歩にいきたいと言うかもしれないと思って、ふりむいたが、その姿はもうそこになかった。いつのまにかひとりで自分の部屋にはいってしまったのだろう。

クロウは首をふった。

「ひとりにしておいてやろう。ここには思い出がたくさんありすぎる。自分で受けとめられるようになるのを待つしかない」

太陽の下では、下水のにおいがまえよりもひどく感じられた。腐った野菜のにおいもした。シャーロックは新しい街をながめ、音を聞きながら歩いた。

表通りからは何本もの路地がのびている。そのひとつをのぞきこむと、あちこちにゴミの山ができていて、驚いたことに、ネコや犬だけではなく、野ブタまで鼻を突っこんで食べものをあさっている。

一方で、表通りにはさまざまな国のレストランが軒を連ねている。オイスター・バーという牡蠣を食べさせる店も多い。ビールやワインやガンプションという飲み物とともに出され、揚げたり、ゆでたり、焼いたり、あるいは氷の上にのせて生で食べるようだ。きっとこの街の名物料理なのだろう。

先のとがった塔がついた白い石づくりの教会や、荷物を保管するための倉庫もあちこちにある。

ここには、わずか数ブロックのなかに、イギリスのいくつかの村や町をあわせても追いつかないくらい多くのものがある。

尾行者までいる。

気がついたのは、歩きはじめて三十分ほどたったときのことだった。あざやかな緑のバンドが巻かれた茶色の山高帽が、背後の人ごみのなかにずっと見え隠れしていたのだ。ほかに同じような帽子がないかと思って見てみたが、どこにもない。しかも、その帽子はつねに自分の後ろにある。

近くの店にはいり、棚にならべられた洗たく板や石けんや洗たくばさみなどを見てまわってから、外に出たとき、茶色の山高帽の男は新聞を読みながら通りの角に立っていた。

シャーロックはごみの散らかった路地に飛びこみ、その向こうの表通りへ走っていった。だが、山高帽の男はその動きを読んで一本手前の路地にはいったらしく、表通りに出てふりむくと、やはりそこに立っていた。顔はわからないが、がっしりとした体型をしている。

シャーロックは考えた。男はホテルを出たときからつけてきているのか。それとも、通りでたまたま見かけてつけてきたのか。後者だとすれば、尾行されたままクロウとバージニアがいるホテルへ帰るのはまずい。なんとかして、まかなければならない。いや、それよりもっといい方法がある。立場を逆転させるのだ。男のあとを追っていけば、隠れ家がわかる。マティはそこにいるはずだ。

もちろん、それはそんなに簡単なことではない。

また近くの店にふらりとはいった。そこは雑貨屋だった。衣服も売っていて、子ども用の上着や帽子やズボンなども置いている。山高帽の男はしばらく外で待っているはずだ。さいわいなことに、店には脇道へ通じるもうひとつの出入口がある。

すばやくハンチング帽と上着を手にとり、カウンターに持っていく。店員はシャーロックをじろじろと見つめた。

「スリングはいらないかい。きょう新しいものがはいったんだけど、買っていったらどうだい」

「スリング？　スリングって？」

聞いたことのない言葉だ。これもこの国で覚えておいたほうがいい言葉のひとつなのか。そのとき、ディープディーン校で習った聖書の話をふと思いだした。旧約聖書のサムエル記でダビデがゴリアテを倒したときに使ったのがスリングではなかったか。簡単な武器の一種で、それを使えば、石つぶてを強く正確に投げることができる。

「このあたりの子どもたちはみな持ち歩いてるよ」

「いくらですか」

服代を加えてもたいした額にはならなかったので、買うことにした。スリングを持ち歩くことで、地元の子どもっぽく見えるようになるなら、それはそれで悪いことではない。

店員が古い服を茶色の紙に包んでいるあいだに、シャーロックは新しい上着と帽子を身につけた。

スリングは石ころを包む革帯と、その両側につけられた革ひもからできている。一方の革ひもを手首に巻きつけ、もう一方の革ひもをふりまわして、石ころを飛ばすのだ。

店員は古い服をいれた茶色の包みをさしだしながら言った。

「玉がいるね。サービスで鉄の玉を一袋つけてあげるよ」

支払いはクロウからもらった金ですませた。シャーロックはスリングと鉄の玉をポケットに突っこみ、茶色の包みを手に持つと、ハンチング帽を目深にかぶり、横の出入口から足早に店を出た。山高帽の男とはできるだけ距離をあけなければならない。前方に角が見えると、さらに歩く速度をはやめた。

角をまがったときに、そこにいた新聞売りの少年に声をかけた。

「全部ほしいんだけど、値段は？」

新聞売りの少年は自分の幸運が信じられないというように大きく目を見開いた。

「一部十セント。で、五十部残ってるから全部で……全部で六ドルだ」

新聞の残りはせいぜい四十部ちょっとだし、たとえ五十部だったとしても、合計は五ドルだ。

「全部で五ドル払うよ」

「わかった。それでいい」

シャーロックは新聞の束を受けとり、五ドル札をわたした。新聞売りの少年はほくそ笑み、仲間たちに金を見せびらかしながら走り去った。シャーロックは新聞を売りはじめた。

「新聞だよ！　おもしろい記事がぎっしり詰まってるよ！」

シャーロックはニューヨークなまりをまねて言った。クロウとバージニアの話を聞き慣れているおかげで、一応さまにはなっていると思うが、どっちにしてもイギリスの発音でなければ問題ない。

「ファイブポイントで残忍な殺人事件！　警察はお手あげ！　さらなる犠牲者も！」

どこにそんな記事があるのかと思って、ほかの少年たちが自分たちの新聞の見だしをさがしているあいだに、シャーロックのところに客が三人もやってきた。山高帽の男も角をまがってきた。

ゴダルミンの家で拳銃を持っていた、ブロンドの短い髪の男――アイブズだ。

シャーロックは肩を落とし、背中を丸めて、何日もろくな食事をとっていないようなふりをした。どうやらうまくいったようだ。アイブズは新聞売りをガス灯や馬のかいば桶のようにしか見ていない。シャーロックから二メートルほどしかはなれていないところに立ちどまって、通りの前方にじっと目をこらしている。どこへ行ったのかと不思議に思っているのだろう。しばらくして見つからないとわかると、小さな声で毒づき、後ろを向いて歩き去った。

シャーロックは近くにいた少年の足もとに新聞の束を置いた。

「よかったら、これあげるよ。これも売ればいい」

「これはサンじゃないか、おれが売ってるのはクロニクルなんだよ」

「べつにかまわないじゃないか。商売はもっと手広くやったほうがいいと思うよ」

シャーロックは急いでアイブズのあとを追いはじめた。

アイブズはポケットに手を突っこみ、うつむき、足早に歩いている。あきらかに意気消沈している。

アイブズがジェラビー・ホテルへ向かおうとしている様子はない。ということは、滞在地を知っていたわけではないということだ。

日は沈みつつあり、建物の屋根の上をかろうじてこえた光は、そこにあるすべてのものをオレンジ色に染めている。シャーロックは正面から飛びこんでくる日の光に目を細めた。いま自分がどのあたりにいるのかまったく見当もつかない。五ブロックほど行ったところで、アイブズは建物のなかにはいった。

シャーロックは不安になって周囲を見まわした。ここがファイブポイントかどうかはわからないが、ジェラビー・ホテルの周辺とはずいぶん様子がちがう。見るべきものはと言えば、通りのはずれにある腐りかけた板張りの教会と、そこから突きでている崩壊寸前の塔くらいなものだ。あいかわらず異臭がしたが、それがテレビン油や接着剤の工場のにおいなのか、そのあたり一帯を霧のようにおおっている腐敗物や下水のにおいなのかはわからない。治安はいかにも悪そうに見える。通りの角には、新聞売りの少年ではなく、破れたシャツに汚れたズボンをはいた男たちが立っていて、通行人を値踏みするような目で見ている。

どこからか悲しげなトランペットの音が聞こえてきた。調子っぱずれだが、この地域には奇妙になじんでいるように思える。

これまで以上にまわりにとけこまなければならない。そう思って、シャーロックは路地にはいり、帽子に土をこすりつけ、ジャケットの袖を破って裏地が見えるようにした。

これでごまかせる。よそ者には見えないはずだ。

表の通りにもどると、歩き方を変え、少し足を引きずるようにしてアイブズがはいっていった建物へ向かった。それは薄ぎたない安ホテルで、開いたドアのすきまから内側が見えた。

ジェラビー・ホテルのようなロビーはなく、なかにはいればすぐに部屋と階段になっている。だが、マティをさがしてドアをノックしてまわるわけにはいかない。別の方法を考えなければならない。

周囲を見まわすと、向かいの建物のレンガの壁に、金属製の非常階段がついていることに気づいた。各階ごとに狭い踊り場がある。それをあがっていけば、部屋のなかを見ることができる。カーテンが閉まっていたり、窓ガラスが汚れていたりしなければいいのだが。だが、そんなことをここで考えてもしかたがない。シャーロックは通りを横切り、まわりに人けがなくなるのを待ってから、すばやく非常階段をあがりはじめた。

二階の踊り場に着くと、体を小さくして、向かいの建物を見つめた。窓は四つ。ありがたいことに、カーテンはない。ひとつの部屋には、知らない男がいて、ひとつところを行ったり来たりしている。もうひとつの部屋には、ナイトガウン姿の女性がいて、窓の外をながめている。シャーロックと目があうと、悲しげにほほえんだ。ほかのふたつの部屋にはだれもいない。

三階へ向かったとき、足もとの金属がきしんで揺れた。なんとなく心もとない。定期点検とか、きちんとされているのだろうか。そもそも一度でも点検されたことがあるのだろうか。

つぎの踊り場からも、四つの部屋が見えた。

そのうちのふたつの部屋にはだれもいなかった。

三番目の部屋には、四人の男が手にグラスを持ち、酒を飲みながら話をしていた。ひとりはアイブズで、もうひとりは医者のバールだ。あとのふたりは見たことがない。マティもいた。窓枠にひじをついて、通りを見ている。怪我はしてないようだ。あざも傷もない。食事も与えられているようだ。少なくとも、やせ細ってはいないし、腹をすかせているようにも見えない。退屈で、悲しそうにしている。

が、シャーロックを見つけると、目が輝き、口もとに大きな笑みが浮かんだ。

よかった。マティは生きている。元気そうだ。旅のあいだじゅう心に重くのしかかっていたものが消え、感情をおさえられなくなりそうになった。涙をこらえるために何度も目をしばたたかなければならなかった。

唇に人さし指をあてて、声を出さないようにという合図を送ると、マティはうなずいたが、顔から笑みが消えることはなかった。部屋にいる男たちに笑顔を見られたら、不審に思われる。それで、口をへの字にして、悲しそうな表情をつくってみせたが、マティはきょとんとした顔をしていた。眉間にしわを寄せて、つらそうな顔をしてみせると、それでようやくわかったらしい。口もとから笑みが消え、先ほどまでと同じような暗い表情にもどった。

シャーロックは声を出さずに唇を動かして聞いた。

「だいじょうぶか」

マティは小さくうなずいた。

「ひどいことをされてないか」

マティは顔をしかめた。通じなかったようだ。シャーロックは言葉を区切って、もう一度唇を動かした。

「ひどい・ことを・されて・ないか」

マティはまた小さくうなずいた。

「かならず・きみを・連れもどす」

マティも同じように唇を動かした。

「頼む」

そのとき、そこにいた男たちがとつぜん話すのをやめ、部屋のなかをあわただしげに動きまわりはじめた。これからどこかに行こうとしているのかもしれない。

「どこへ・行こうと・して・いるんだ」

マティは唇を動かしたが、なにを言おうとしているのか理解することはできなかった。

シャーロックは顔をしかめ、意味が理解できないことを伝えた。マティはもう一度くりかえしたが、やはりわからない。少なくとも、簡単な言葉ではない。

マティは窓枠の上で手を動かした。なにかを書こうとしているように見える。そうやってなんらかのメッセージを窓枠に残そうとしているのだろうか。

つぎにマティは窓の下の棚を指さし、それから通りのはずれの古い教会を指さした。

そして、眉をつりあげた。理解できたかどうか尋ねているのだろう。

首をふると、マティは同じ動作をもう一度くりかえした。なにか書くふりをし、窓の下の棚を指さし、つぎに教会を指さす。よく見ると、指は教会の屋根の上に向けられている。

ジェスチャーはさらにつづいた。二本の指を立てる。シャーロックを指さし、つぎに自分自身を指さし、それから三本の指を立てて、苦々しげに肩をすくめる。

ちんぷんかんぷんだ。いったいなにを伝えようとしているのか。まったくわからない。

そのことを伝えようとしたとき、男のひとりがやってきて、マティの肩をつかみ、窓から引きはなした。だが、窓の外を見はしなかった。ということは、その男が窓べにやってきたのはマティをどこかに連れていくためであって、なにかを見とがめたわけではないということだ。

シャーロックはさりげなく窓から目をそらした。

窓に目をもどしたとき、部屋は空っぽになっていた。男たちはマティを連れてどこかへ姿を消していた。

シャーロックは非常階段をかけおりて、ホテルのほうへ向かっていった。なにをすればいいのかわかっていたわけではない。とにかく、じっとしていられなかった。

だが、遅すぎた。マティと唇の動きでやりとりをしているあいだに、男のひとりが下におりて、辻馬車をつかまえ、ほかの男たちが荷物をおろしていたにちがいない。シャーロックが通りを横切ったときには、全員が辻馬車に乗りこんでいた。

マティのおびえた顔がちらっと見えたとき、馬にムチがいれられ、辻馬車は走りだした。別の辻馬車が通りかかるかもしれないと思って、シャーロックは周囲を見まわしたが、通りには数人の通行人の姿しかなかった。

暗い絶望感が毛布のようにおおいかぶさってくる。

よそう。いつまでもくよくよしていてもはじまらない。一刻も早くクロウ先生に報告をしなければならない。ホテルまでの道順はなんとなく覚えている。迷ったときのために、ポケットのなかには、ホテルのレターヘッドが印刷された用紙もはいっている。

シャーロックは走りながら必死に考えた。マティが最後に伝えようとしていた言葉はなんだったのか。こちらの質問に対する答えであるのはまちがいない。でも、それはいったいなんなのか。

ジェスチャー・ゲームのようなものだろうか。としたら、ひとつの単語をいくつかにわけて伝えようとしたのではないか。

店やホテルや十字路が後ろに流れ去っていく。息が苦しく、肺は燃えそうになっている。なんとかして解読しなければならない。

書く。言葉。手紙。鉛筆。ペン。

ペン。

窓の下の棚。棚そのものを意味しているのか、材質、つまり石のことなのか。

そして、教会。

シャーロックは歩道に足音をひびかせ、歩行者を次々に追いぬきながら、記憶の糸をたぐった。

教会の上にはなにがあったか。塔だ。その上には……

風向計。

それで、ピンときた。ＰＥＮ・ＳＩＬＬ・ＶＡＮＥ——ペン・シル・ベーン。そのような名前の場所がどこかにあった。たしかこの街の近くに。

ペンシルベニア。

マティが伝えたかったのはそれなのか。

ほかのメッセージは？　マティは二本の指を立てた。それから、自分自身とシャーロックを指さし、つぎに三本の指を立てて、苦々しげな顔をした。それはどういう意味なのか。

〝二本（TWO）〟は〝行き先（TO）〟にちがいない。それはどこなのか。

ジェラビー・ホテルが見えてきた。筋肉は悲鳴をあげていたが、なんとか最後まで走りつづけることができた。

マティとシャーロックと三番目のなにか……バージニアだ。それは人名であると同時に、地名でもある。

ペンシルベニアからバージニアへ。

いまひとつピンとこないが、足りないところはクロウ先生が補ってくれるはずだ。

ホテルに飛びこむと、階段をかけあがって、ドアになかば倒（たお）れかかりながらノックをした。ドアがあき、なかにはいると、バージニアがびっくりした顔をして立っていた。

シャーロックは息を切らしながら言った。

「クロウ先生は?」

「もどってないわ。まだピンカートン社にいるはずよ」

「マティを見たんだ。どこかへ連れていかれようとしている。どこかはわからない。でも、手がかりはある。マティがメッセージを残してくれたんだ。〝ペンシルベニアからバージニアへ〟とかなんとか。どっちも州の名前だと思うんだけど、どうもよくわからない。ペンシルベニア州からバージニア州へ行くってことなんだろうか」

バージニアは首をふった。

「そうじゃない。ペンシルベニアというのはニューヨークにある駅の名前よ。そこからバージニア行きの汽車も出ている。マティはそこへ連れていかれようとしているのよ。まちがいない」

「クロウ先生を見つけて話をしなきゃ」

「そんな余裕はないわ。彼らが駅へ向かったのなら、わたしたちもすぐにそこへ行き、マティをとりかえさなきゃ。パパには書き置きを残していくわ。パパが帰ってくるのを待っている時間はない」

バージニアは机の前に行き、引き出しをあけて、束ねた紙幣をとりだした。

「パパのお金よ。現金はなるべく持ち歩かないようにしているらしいの。すられたりするといけないから。あれでいて、けっこう用心深いのよ。わたしたちにはお金が必要になるわ」

ホテルのレターヘッドつきの用紙に書き置きを残すと、ふたりは階段をおりて、ホテルを出た。辻馬車がちょうどホテルの前で客をおろしたところだった。バージニアはそれに乗りこみ、シャーロックを引っぱりこむと、御者に向かってなにやら言った。早口だったので、なにを言ったかわからなかったが、とにかく辻馬車は猛スピードで走りだした。

バージニアは笑いながら言った。

「十分で駅に行ってくれたら、二倍の料金を払うって言ったのよ」

辻馬車は激しく揺れながらニューヨークの通りを疾駆した。車輪が路面のくぼみに落ち、ふたりの体は何度か密着したが、いつもすぐにはなれた。

辻馬車が巨大な駅の正面の柱の列の前に着いたときには、激しい揺れのせいで体じゅうに痛みを感じるようになっていた。バージニアが御者に代金を払っているあいだに、シャーロックは駅にかけこんだ。

駅のなかは混乱と秩序が同居していた。大理石づくりの広い構内を人々がさまざまな方向へ歩いている。奥には、いくつものアーチがならんでいる。その向こうにはプラットホームがあるのだろう。フックにかかったボードには、列車の行き先と途中の停車駅が表示されている。シャーロックが見ているうちにも、いくつかのボードがフックからはずされて、新しいのにかけかえられた。

シャーロックはボードの表示を見ながら、アーチにそって走った。しばらくして気がつくと、バージニアが横を走っていた。

シカゴ、デラウェア、ボルティモア……ここでシャーロックははじめて気がついた。バージニアというのは州の名前だ。けれども、ボードの表示は、どれも街の名前になっている。イギリスなら、たとえばサウサンプトンはハンプシャー州にあることを知っている。でも、アメリカではどの街がどの州にあるのかほとんど知らない。

とつぜんバージニアが言った。

「あったわ。リッチモンド。バージニア州の州都よ。二十九番プラットホーム。ペンシルベニア線」

バージニアはアーチをぬけ、シャーロックはそのあとにつづいた。ひさしのある帽子をかぶった青い制服姿の駅員が、シャーロックの破れた上着を見て、ふたりをとめようとしたが、バージニアはすばやくそのわきを走りぬけた。シャーロックは腕をつかまれそうになったが、それを押しのけて、プラットホームにはいった。

そこには、無限につづいているように思える長い列車がとまっていた。カーブしているので、先頭の機関車は見えない。イギリスの駅のプラットホームは、列車の乗降口と同じ高さにしてあるが、ここのはずっと低くて、乗降口まで階段をあがるようになっている。

シャーロックは走りながら列車の窓をのぞいてまわり、マティの顔をさがした。が、最初に見つけたのはジョン・ウィルクス・ブースの焼けただれた顔だった。

シャーロックはバージニアの腕を引っぱって、車両の後ろのほうへあともどりしはじめた。

「どうしよう。あまり時間がない」

バージニアはまわりを見まわした。列車に乗りこもうとしている者が何人かいるだけで、さっきの駅員の姿さえない。もしかしたら警察を呼びにいったのかもしれない。

「なかで車掌に頼んだら、調べてもらえるかもしれないわ」

バージニアは言って、階段をあがりはじめた。

シャーロックはそのあとをついていくしかなかった。バージニアがよく考えて言ったこととは思えなかったが、ほかにこれといった案も思いつかない。

ふたりは列車に乗りこんだ。車両の中央に通路があり、その両わきに布張りの木の座席がならんでいる。

車両のなかほどの向かいあった席に、アイブズとバールとジョン・ウィルクス・ブースがすわっていた。もうひとりは後頭部のかたちからして、マティだろう。男たちは熱心に話しこんでいる。シャーロックは見つかるまえに座席と座席のあいだに身を隠した。

バージニアはまわりを見まわして、車掌をさがした。

そのときプラットホームでホイッスルの甲高い音が鳴り響いた。

つぎの瞬間には、列車が動きだしていた。

⚜ 12 ⚜

シャーロックが最初に思ったのは、ドアの前に駆けもどって、汽車から飛びおりることだった。それで、バージニアの腕をつかんで引っぱろうとした。だが、バージニアは応じなかった。

「おりなきゃ。ぼくたちは切符を持ってないんだ。きみのお父さんに連絡をとる必要もある」

「切符は車内で車掌から買えばいいわ。パパには、汽車がつぎの駅にとまったら、電報を打って、わたしたちがいまどこにいるか教えるわ。大事なのはマティをさらった連中を見失わないことよ。いま見失ったら、もう二度と見つからないかもしれない。彼らがどこに行くか見届けなきゃ」

「でも――」

「だいじょうぶ。ここはわたしの国よ。勝手はわかってる。汽車でひとり旅をしたこともあるのよ。心配しないで」

シャーロックは納得した。こうなったのは偶然だが、せっかくの機会を利用しない手はない。汽車をおりてホテルにもどれば、せっかくアメリカまで来た意味がなくなってしまう。

「わかった。じゃ、このまま乗っていこう」

「ほかに選択の余地があるとは思わないけど」

バージニアは窓を指さした。プラットホームは消えていて、汽車はスピードを増しながら、線路と交差する広い土の道を次々に横切っていった。おおよそ百メートルごとに線路の継ぎ目があり、車輪がそれをこえるたびに大きな音をたてている。

シャーロックは通路の先に目をやり、マティといっしょにいる男たちの様子をうかがった。

「あいつらはあそこに腰をおちつけている。ぼくらも席について、これからどうしたらいいか考えよう。ただあとをつけるだけか、それともマティをとりもどす方法を見つけだすか」

「場合によるわね。あのひとたち、どうしてこんなに大急ぎで汽車に乗らなきゃならなかったのかしら」

「ぼくのせいだ。通りでやつらのひとりに見つかり、あとをつけられたんだ。ぼくが尾行をまくと、その男は泊まっているホテルにもどり、仲間たちにそのことを話して、早急に宿を引きはらったほうがいいという結論を出したんだろう。そのときに、マティから行き先を教えられたんだ」

シャーロックは言葉を切り、まわりを見まわした。

「あそこの席があいてる。とにかくすわろう」

それは後ろ向きの席で、男たちからはだいぶはなれている。そこにすわると、シャーロックは窓の外に目をやった。線路はカーブしていて、前方に機関車が見えた。ファーナムからギルフォード経由でロンドンへ向かうイギリスの機関車とは、ずいぶんちがっている。円筒型のボイラーのかたちは同じだが、その前部から突きでている煙突はイギリスのものよりずっと大きく、上に開くようなかたちをしている。機関車の正面には、先のとがった金属製の格子がついている。線路上の障害物を払いのけるためのものだろう。

バージニアがシャーロックの視線をたどって言った。

「バッファローよ」

「えっ？」

「バッファローとか牛とか。線路を横切ったり、線路の上に立っていたりすることがよくあるの。そのたびにスピードを落として、動物を押しのけなきゃならない」

「なるほど」

汽車は走りつづけた。建物や道路は少しずつ消えていき、窓の外には開けた土地と森がひろがりはじめた。草木は明るい日を浴び、みずから光を発しているかのように見える。

「どれくらいかかるのかな」と、シャーロックは聞いた。

「リッチモンドまで？　途中の停車駅によるけど、たぶん一日くらいよ」

「一日？　だったら、食事はどうすればいいんだろう」

「後ろのほうに食堂車があるはずよ。なかったとしても、途中の停車駅には食べものを売ってるひとたちがいるわ。停車時間は十分にとってあるから、そのあいだに汽車からおりて、なにか買ってくればいい。駅には電報が打てるところもある。あったら、ホテルかピンカートン社あてにしてパパに電報を打てばいいわ。時間はいくらもかからない」

「連中に見つからないようにしないとね」

「気をつけていれば、だいじょうぶよ」

シャーロックは男たちのことが気になったので、ちらっと後ろを向いた。ちょうどそのとき、男たちのひとりが席を立ち、通路をこちらのほうへ歩いてきた。はげ頭のバールだ。

シャーロックはあわてて前を向いた。顔を見られていなければいいのだが。

バールはシャーロックのわきを通りすぎ、車両の向こうへ消えた。今回は気づかれなかったが、こっちに帰ってくるときは、顔が向きあうかたちになる。顔を見られたら、まちがいなく気づかれる。

顔を見られないようにするには、どうすればいいか。バールがもどってきたときに、体をまわして、バージニアにキスをするというのはどうか。そうすれば、バールには後頭部しか見えない。

シャーロックはそのことを話すためにバージニアのほうを向いた。バージニアの紫色の目は、日の光を受けてきらきらと輝いている。

「どうしたの」

「いまふと思いついたんだけど……」

「なにを?」

なにもむずかしいことではない。〝きみにキスをするかもしれないけど、顔を見られないようにするためだから、驚かないでくれ〟と言うだけでいいのだ。けれども、なぜか言葉が出てこない。バージニアの顔までは十センチほどの距離しかない。そばかすの数をかぞえることができるくらい近い。ほんの少し体を前に出せば、唇と唇がふれあう。

「いや、なんでもない。気にしないで」

バージニアは眉を寄せた。

「ねえ、なんなの？」

「本当になんでもないよ」

シャーロックはまた前を向いた、バールがもどってきたときには、窓のほうを向いて外を見ているふりをしていればいい。頭には、ハンチング帽がまだのっかっている。それを目の下までさげて、眠っているふりをしてもいい。たぶん、それでなんとかやりすごせるだろう。

とりあえずハンチング帽を目深にかぶりなおしたとき、バールがもどってきた。あわてて下を向き、眠っているふりをすると、バールはなにも気づくことなく、そのままわきを通りすぎていった。

また窓の外に目をやったとき、小さな町があらわれ、すぐまた後ろに消えた。あっという間のことで、目にとまったのは低い木の家と四輪の荷馬車と数頭の馬だけだった。

列車の振動は眠気を誘った。きょうはいろんなことがありすぎた。ついさっきはホテルまで走ってもどったばかりだ。心身ともにくたびれきっている。心も体も休息を求めている。

しばらくうたた寝をしていたのだろう。気がついたとき、列車は橋の上を走っていた。

長い斜面の下に、ちらちら輝いている川面が見える。橋は木製で、幅は列車の幅といくらも変わらない。

　緊張がバージニアに伝わったようだった。

「だいじょうぶよ。崩れおちたりしないから。でなかったら、もう何年もまえに崩れおちてるはずよ」

　それからしばらくして、列車が速度を落としはじめた。

「もうすぐ駅よ」

「でなきゃ、バッファローの行列だ」

　シャーロックは駅に着いてからのことを考えはじめた。そこでの選択肢はいくつかある。食べものを買うだけにするか、クロウ先生に電報を打つか。それとも、なんとかしてマティを救いだす手立てを講じるか。マティを列車から連れだすことができさえすれば、あとはクロウ先生が来てくれるのを待つか、ニューヨーク行きの汽車に乗るかするだけでいい。

「とにかくプラットホームにおりよう。チャンスがあったら、そこでマティをとりもどそう」

　列車はさらに速度を落とした。まわりには大きな実をつけた背の高い植物の畑がひろがっている。列車から見える唯一のフェンスは、線路から地平線まで延々とつづいている。

とつぜん汽笛が空気を切りさくような音をたてた。神話のなかの動物の鳴き声のような悲しげな音だ。納屋や家の数が少しずつ増えはじめ、町があらわれた。列車は地面よりほんの少し高いだけの板張りのプラットホームの横にゆっくりととまった。

「行こう」と、シャーロックは言った。

遠くのほうから改札係の声が聞こえた。

「列車はただいまニュージャージー州パーサビランスに到着しました。停車時間は十分です。停車時間は十分です」

シャーロックはバージニアといっしょに乗降口へ向かった。外からだれかがドアをあけてくれたので、ふたりはすぐにプラットホームにおりることができた。

「きみは食べものを買ってきてくれ。ぼくはやつらがここで列車からおりないかどうか見ている」

プラットホームは、粗末なデニムやコーデュロイやコットンの服を着た人々でごったかえしていた。この駅が目的地の者もいれば、一時下車するだけの者もいる。さらには、ここから列車に乗りこんでくる者もいる。

シャーロックは人ごみをかきわけて、壁ぎわの物陰にはいった。

そのとき、ブロンドの髪のアイブズがマティといっしょに列車からおりてきた。医者のバールは頭がおかしくなってしまったジョン・ウィルクス・ブースについているのだろう。マティは青白い顔をしていたが、乱暴をされたような様子はない。いまも突き飛ばされたり、こづかれたりしていない。肩に手をかけられているだけだ。

ふたりは線路わきの奥まったところにつくられた小屋のほうへ歩いていった。たぶんトイレだろう。目隠し用の板で囲われているが、実際は地面に穴を掘っただけの粗末なものだ。

マティがそのひとつにはいり、ドアを閉めると、アイブズはしばらくその前に立っていたが、においに耐えられなかったらしく、顔をしかめ、片手で鼻を押さえて、小屋の前からはなれた。

シャーロックは小屋の裏側へ走っていって、マティがはいったトイレをさがした。裏側の板は下のほうが腐りかけている。アイブズが退散するのも無理はない。ひどいにおいがする。

板のすきまからシャーロックは声をかけた。

「マティ」

「シャーロックだな。来てくれると思ってたよ。汽車のなかでバージニアといっしょにいるのを見たんだ」

シャーロックはトイレの下のほうの木を手でさぐりながら言った。

「壁に穴をあけよう。手伝ってくれ」

シャーロックが引っぱり、マティが押すと、板は簡単にはがれ、大きな穴があいた。シャーロックがマティの手をつかんで引っぱると、つぎの瞬間には、ふたりは小屋の裏にならんで立っていた。

「だいじょうぶかい」

マティは顔をしかめた。

「ああ。船に乗せられたときには、どうなるのかと思ったけどね。乱暴もされなかったし、食べものもくれた。心配はしてなかったよ。おまえが来てくれることはわかってたから」

「行こう」

ふたりは小屋の裏側の角まで忍び足で歩いていった。そこから顔を出してみると、アイブズは小屋から少しはなれたところに立っていた。

「バージニアは?」と、マティは聞いた。

「食べものを買いにいってる」

「クロウ先生は?」

「ひとりでニューヨークに残ってる」

「おまえたちだけで来たのか。どうして?」

「なりゆきでそうなったんだよ。計画を立てている暇はなかった」

アイブズが手で鼻を押さえたまま横を向くと、シャーロックはマティの腕をつかんだ。

「いまだ」

ふたりは開けたところを走って横切り、切符売り場や待合室がある木造の小さな駅舎のわきに姿を隠した。これで、アイブズがふりむいても、見つかることはない。

そこにバージニアがいた。シャーロックにあたたかい食べものがはいった紙の包みをわたすと、マティの体を引きよせ、強く抱きしめた。

「無事でよかったわ」

「ありがとうよ」

シャーロックは建物の角から周囲を見まわした。ひとの数はまばらになっている。ほとんどがもうすでに列車に乗りこむか、駅から立ち去っていて、数人が足をのばしたり、食べものを買ったりしているだけだ。駅員は懐中時計に目をやったり、列車を見まわしたりしている。機関車の横では、機関士が線路わきの支柱の上のタンクから水をくんでいる。

「この汽車はもうすぐ出発する」と、シャーロックは言った。「そのあとここでしばらく待っていれば、ニューヨーク行きの汽車が来るはずだ」

「そんなに簡単にはいかないかも」と、バージニアが答えた。

「どうして？」

バージニアは小屋のほうへ指を向けた。

「見て」

そこにはアイブズとバールが立っていた。アイブズが話をしている。バールは怒っている。

「マティがいなくなったことに気づいたんだ。連中は必死になってさがしまわるだろう」

たしかに必死になっていた。バールとアイブズは二手にわかれて別々の方向へ向かった。バールは列車のほうへ行って、その下をのぞいてまわり、向こう側にだれかいないか調べている。アイブズはこっちに向かってきて、駅舎のなかにはいり、待合室を見てまわっている。

「急がなきゃ。ぼくについてきて」

シャーロックは言いながら列車のほうへ歩きはじめた。

「汽車に乗るの？　どうして？」と、バージニアは聞いた。

「ほかに方法はない。アイブズとバールは駅やトイレをしらみつぶしにするはずだ。そのあいだに、ぼくたちは汽車に乗って、車両の反対側から線路におり、走って逃げるんだ。

汽車が出たら、ここにもどってくればいい」

シャーロックが列車の階段をあがると、バージニアとマティはしぶしぶといった感じでついてきた。

列車に乗りこむと、シャーロックは急いで車両の反対側へ行って、乗降口のドアのハンドルに手をかけた。

動かない。

どんなに力をいれても、鍵がかかっているらしく、まったく動かない。

バージニアは列車の階段をあがったところにいた。

「彼らがもどってくるわ」

シャーロックは車両の前方に目をやった。

「もうひとつ先の乗降口へ行こう。さあ、早く！」

さいわいなことに、それは先ほどまで乗っていた車両ではなく、通路に立っている人々をかきわけて歩いている途中、顔をあわせたくない者に出くわすことはなかった。

車両のいちばんはしまで来ると、シャーロックはまたプラットホームと反対側の乗降口のドアに手をかけた。鍵はかかっていない。

だが、ドアをあけて飛びおりようとしたとき、アイブズがそこに立っていることに気づいた。車両に背中を向けて、町のほうを見ている。シャーロックはあわててドアを閉めた。

バージニアはプラットホームを見ていた。

「こっちにははげ頭の男がいるわ。列車の乗降口を見てる」

そのとき、駅員がホイッスルを吹いた。

「列車が出発しまーす！」

どうすればいいんだ。逃げ道はない。

「つぎの駅でおりよう。少なくとも、マティをとりもどすことはできた」

駅員がもう一度ホイッスルを吹いた。列車ががくんと揺れて、ゆっくり動きだし、じょじょに速度を増していった。

バージニアはふたたびプラットホームを見まわした。

「はげ頭の男は列車に乗りこんだみたいよ」

シャーロックは自分が立っているほうの窓から外の様子をうかがった。

「アイブズもだ」

マティが口をはさんだ。

「結局、もとどおりってわけか。まいったな。おれはまだトイレもすませてない」

「でも、食べものは買えたわ」

「とにかくすわるところをさがそう。連中とはできるだけ遠いほうがいい。いちばん後ろの車両まで行こう」

シャーロックは列車の後ろのほうを向いたが、そのとき背後が急にしんと静かになったような気がして、すばやくふりかえった。

バールともうひとりの知らない男がバージニアとマティの後ろに立って、ふたりの喉もとにナイフをあてている。いつのまにか前方の車両から移ってきたにちがいない。

シャーロックはまた列車の後ろのほうを向いた。

そこの車両の通路をアイブズが歩いてくる。あまり楽しそうな顔はしていない。

「あんまり世話をやかせるんじゃないぞ」と、バールは言った。「アイブズは腸をにえくりかえらせている。これ以上怒らせると、とんでもないことになる。やつはときどき歯止めがきかなくなるんだ」

前にはバールがいて、後ろにはアイブズがいる。絶体絶命だ。

胸に鉛が詰まっているような気がする。逃げ道はない。選択肢はふたつ。前か後ろか。どちらに行っても、つかまってしまう。

それじゃまずい。兄さんならこんなときなんと言うだろう。クロウ先生ならどうか。

〃選択肢がふたつしかなくて、どちらも気にいらないときには、三つめの選択肢を見つけだせ〟

シャーロックは乗降口のドアをあけて、外の空気に身をさらした。

あざやかな緑の田園風景がぼやけながら後ろへ流れていく。背後からは、バージニアのあえぎ声と、アイブズが毒づく声が聞こえてくる。

左手でドアの枠をつかみ、左足をその下の角にかけて、体を外に出す。風の音が耳をふさぎ、体が後ろに飛ばされそうになる。体をまわして、車両と車両のあいだにいれる。そこに屋根へあがるためのはしごがあることは知っている。右手をのばして、はしごの段をつかむと、こんどは右足をのばす。足がはしごに届くまで数分かかったように思えたが、実際は一秒か二秒だったにちがいない。ドアの枠から左手をはなし、はしごに体重をかける。

はしごをのぼろうとしたとき、だれかに左足をつかまれた。足を蹴りおろすと、どうやら顔面を直撃したらしく、それで手がはなれた。

その数秒後には列車の屋根の上に出ていた。

その場にしゃがみこみ、屋根の上のレールを片手でつかむ。

前を見ると、列車はカーブにさしかかるところだった。煙が流れてくる。目に涙がにじみ、息が苦しくなる。

躊躇したのは一瞬だけだった。連中につかまるより、もうひとつの選択肢を選んだほうがいいのは明白だ。なんとかして逃げなければならない。だが、逃げられるところは限られている。そこは汽車の屋根の上で、最初からなんの計画もない。どこへ行っても、見つかるのは時間の問題だ。見つかったら、まちがいなく殺される。かといって、川に飛びこんで逃げるわけにもいかない。車内にはバージニアとマティがいる。

絶望的な思いがしたが、あきらめるのはまだ早い。大事なのは意志の力だ。考えよう。屋根を伝って機関車の上まで行き、機関士に助けを求めたらどうか。そうすれば、警察に通報してくれるかもしれないし、どこかで汽車の向きを変えてニューヨークへ引きかえしてもらえるかもしれない。

シャーロックは腰をかがめたまま屋根の上を歩きはじめた。風が大きな手のように胸を押してくるが、その程度のことでひるんではいられない。煙のために目には涙があふれ、息も苦しかったが、とまるわけにはいかない。マティとバージニアの命がかかっているのだ。

川が近づいてきた。列車はマッチ棒でつくったように見える橋に向かって進んでいる。激しく鼓動を打っていた心臓が急にとまりそうになった。前方の車両と車両のあいだに、いきなりアイブズの頭と肩があらわれたのだ。車内をあともどりし、そこのはしごをのぼってきたにちがいない。

アイブズは体を屋根の上に引きあげて、まっすぐに立った。前方から流れてきた煙が、アイブズの体のまわりで白いマントのようにうねっている。

「いったいどこへ行くつもりだったんだ。バカなやつだ。みんなといっしょに下にいたほうが安全なのに」

シャーロックは首をふった。

「人質はひとりで十分なはずだ。いくらクロウ先生が相手だからといって、三人も必要ない。三人もいたら、足手まといになるだけだ」

「クロウ先生？　あの大男のことか。あの白いスーツ姿の。いまはじめて名前を知ったよ。心配するな。おまえと同じようにあの世へ送ってやるから」

「そう簡単にはいかないさ」

シャーロックは強がってみせたが、本当はこわかった。後ろを見ると、ほかの男たちの姿はなかった。だが、そっちへ行っても逃げるチャンスはかぎりなくゼロに近い。連中はひとつかふたつ向こうの車両でバージニアとマティの喉もとにナイフを突きつけている。

前を向いたとき、アイブズの手には拳銃が握られていた。

「おまえみたいな跳ねっかえりには、こいつがいちばんんだ」

アイブズは拳銃をあげて、ねらいをつけた。

列車はさっき見た橋にさしかかろうとしている。地面が岩壁に変わり、その下にちらちら光る青いリボンのような川面が見えた。

頭のどこかでなにかがひらめきかけた。

アイブズが拳銃を発射した。シャーロックは身をこわばらせたが、思ったとおり、風と列車の振動のせいでねらいははずれ、銃弾はかすりもしなかった。

アイブズは体のバランスをとりながら近づいてくる。さっき頭にひらめきかけたことはなんだったのか。ついこのまえ、したこと……いや、買ったものだ。

革帯に二本の革ひもがついた投石具――スリングだ！

大急ぎでポケットをさぐる。ズボンの右のポケットから。ない。左のポケットは？　ない。

アイブズは二発目を撃とうとしている。

ジャケットの左の内ポケットは？　指がスリング用の鉄の玉にふれた。スリング本体はない。

アイブズは両手で拳銃を握っている。

ジャケットの左の外ポケットは？　あった！

スリングをとりだして、右手に片側の革ひもを巻きつける。同じ手でもう一方の革ひもを握って、革帯をだらりと下にたらす。

アイブズが拳銃の引き金をひいた。耳もとを銃弾が音をたてて飛んでいく。

左手をポケットに突っこんで、鉄の玉をとりだし、革帯ですばやく包む。スリングを頭の上で二回ふりまわして、片方の革ひもをはなす。

アイブズはきょとんとして見ているだけで、なんの反応も示さない。

鉄の玉は空中に光り輝く線を残しながら飛んでいき、アイブズの左耳にあたった。皮膚が裂け、血が肩にしたたり落ちる。

アイブズは驚きとショックのために悲鳴をあげた。目は信じられないといったように大きく見開かれている。

シャーロックは革ひもを握りなおし、革帯でまた鉄の玉を包んだ。

列車は川のまんなかあたりまで来ている。列車の重力で橋が揺れ、体も同じように左右に揺れている。

アイブズが両手をのばし、よろめきながら近づいてくる。拳銃を持っていることは完全に忘れているようだ。

シャーロックはふたたび頭の上で革ひもを二回ふりまわし、それから片方の革ひもをはなした。ふたりのあいだにはいくらの距離(きょり)もない。鉄の玉はアイブズの額のまんなかに食いこみ、しばらくそこにとどまっていた。

アイブズは後ろ向きに倒(たお)れた。背中が列車の屋根にあたり、つづいて体が横に転がって列車から落ちる。

絶望的な悲鳴があがり、そして消えた。あとは風と悲しげな汽笛の音が聞こえてくるだけだった。

シャーロックは屋根の上のレールを握(にぎ)りしめたまま、がくりとひざをついた。しばらくして息と胸の鼓動(こどう)が元にもどると、立ちあがって、さっきのぼってきた車両の連結部へ引きかえしはじめた。

これでひとり減った。このあとどうしたらいいかはわからないが、少なくともいまは闘(たたか)いの武器があることを知っている。

峡谷(きょうこく)の向こう側に出ると、列車の車輪の下で、線路がカチャカチャ音をたて、また汽笛が鳴った。前方に目をやると、線路が分岐している。ひとつはまっすぐのび、もうひとつは峡谷(きょうこく)にそってカーブしている。

列車はカーブをまがり、速度を落として、フェンスの切れ目にはいっていく。その先に、駅舎のようなものが見える。

いや、駅舎ではない。

家だ。白い大きな家だ。その先には、柵（さく）や壁（かべ）や檻（おり）で囲われた、小さな動物園のような区画がある。

シャーロックは急いではしごをおり、車両にもどった。乗客は不安げに席を立って、通路に出てきている。車掌（しゃしょう）が乗客をかきわけながらアナウンスしている。

「臨時停車です。駅ではありません。列車からおりないでください！」

汽車は蒸気を吐（は）きだしながら、ゆっくりととまった。そのわきには、屋敷（やしき）の裏手の長いベランダがあった。

ベランダには十人ほどの男たちが立っている。

警察か軍隊かもしれないとシャーロックは思ったが、そうではなかった。バールともうひとりの知らない男は、バージニアとマティの腕（うで）をつかんで列車をおりると、そこにいた男たちと合流した。

13

車内は大混乱だった。乗客は口々に車掌に聞いていた。どうして進路を変えたのか。なぜ臨時停車したのか。ここはどこなのか。車掌も事情をのみこめてないようだった。乗客をおちつかせようとけんめいに努力しているが、その顔には困惑の表情がありありと浮かんでいる。

「臨時停車です！　列車からおりないでください！」

バールともうひとりの男はまだバージニアとマティの腕をつかんでいる。なにかを待っているようだ。シャーロックが列車から出てくるのを待っているのだろう。そこから少しはなれたところには、ジョン・ウィルクス・ブースの姿もあった。まっすぐ立っているが、体は左右にゆっくり揺れていて、視線も定まっていない。鎮静剤かなにかをうたれているのだろう。

バールの連れが背中にまわしていた右手をちらっと前に出した。その手には拳銃がにぎられている。

選択の余地はない。

シャーロックは列車からベランダにおりた。

列車の後方では、ベランダで待っていた男たちが最後尾の車両から小さな木箱をおろしていた。ゴダルミンの家の裏庭で見た木箱とよく似ている。男たちはその木箱をおろすと、待たせていた荷馬車に運びこんだ。木箱がとつぜん傾いて、地面に落ちそうになり、男たちは毒づいた。箱がなぜ急に傾いたのかはわからない。もしかしたら、なかでなにかが動いたのかもしれない。

だれがどのような合図をしたのか知らないが、列車はゆっくりと動きはじめ、車両の金属製の連結部が大きな音をたてた。最初はゆっくりとだが、じょじょにスピードを増しながら、屋敷からはなれていく。

バールは列車の音にかき消されないよう大きな声で言った。

「アイブズはどこだ」

バールは右手でバージニアの腕をつかみ、左手で木箱の持ち手をつかんでいる。

「川に落ちた」と、シャーロックは答えた。

心臓はバクバクいっているが、うろたえているようなそぶりを見せてはならない。冷静を装わなければならない。

　バージニアとマティは心配そうな目で見ている。シャーロックは目で心配しなくていいと伝えようとしたが、そんなことは自分でも信じていなかったし、信じてもらえるとも思っていなかった。

「川に落ちた？　おまえが殺したってことか」と、バールは聞いた。

　ブースが目を閉じたまま、夢を見ているような声でつぶやいた。

「煙のにおいがする……煙のにおいがする」

「おとなしくしていろ」と、マティの腕をつかんでいた男がどなった。「でないと、おまえのもう一方の頬も焼きごてで黒こげにするぞ」

　列車のなかでは見なかった男だ。おそらくニューヨークから、もしかしたらサウサンプトンからブースのおもりをしていたのだろう。どうやら忍耐の限界に達しつつあるようだ。ボクサーのような体形で、デニムのズボンをはき、デニムのベストと白いシャツを着ている。首には真っ赤なバンダナを巻いている。

　バールが注意を与えた。

「あまり邪険にするな、ルビネック。デュークはいまもブースを必要としているんだ」

　ルビネックと呼ばれた男はシャーロックのほうを向いた。

「こいつはどうする。こいつは必要としていない。アイブズを殺したことも認めている」

ルビネックは右手を前に出し、拳銃をシャーロックに向けた。

「ギルフィランは？」と、バールが聞いた。「おれたちはギルフィランから電報を受けとった。ギルフィランは生きてるのか」

「ああ、生きてるよ。いまごろは警察の取り調べを受けているはずだ」と、シャーロックは答えた。

バールは目を閉じ、静かに言った。

「まずいな。じつにまずい。ただでさえデュークはご機嫌ななめなんだ。このことを知ったら、怒り心頭だろうな」

「しかたがないさ。列車は出発した。見ている者はいない。ガキどもを始末して、デュークに会いにいこう」

「いまはまずい。デュークに引きあわせ、なにをどれくらい知ってるか聞きださなきゃならない。そのあと、ペットの餌かなにかにすればいい」

穏やかだが、有無を言わせない口調だった。アイブズがいなくなったので、バールがリーダーになったということだろう。

「できれば、自分の手で始末したいな」

おかしをもらえなくてすねている子どものような口調だった。

「でも、おれたちは手ぶらでもどってきたわけじゃない。ブースとこの生き物を連れてくることができた」

バールは持っていた箱を目の高さまで持ちあげて、気味悪そうに見つめ、それからため息をついた。

「これで満足してくれたらいいんだが。とにかく行こう」

バールはみんなを連れて、ベランダの先の両開きのガラス戸のほうへ歩いていった。そこには白い布がかかった丸テーブルがあり、オレンジ・ジュースがはいったデカンターと、ロールパンがのった皿と、七つのグラスが置かれていた。そのまわりには白いペンキを塗(ぬ)った鉄の椅子(いす)が七脚(きゃく)ならんでいる。テーブルのまんなかの穴には白いパラソルが刺(さ)さっていて、強い日ざしをさえぎっている。

〃パラソル〃

その言葉が頭のなかで大きな音をたてた。なにかを思いだしそうで、思いだせない。だから、記憶(きおく)というのは困るのだ。どんな情報でも見境なくためこんでしまう。不必要な記(き)憶(おく)をすべて消し去って、必要な記憶(きおく)だけを残しておくことができればどんなにいいか。大事なことをすべてノートにアルファベット順に書きとめていったらどうか。そうしたら、必要なときに必要な情報をすぐに見つけだすことができる。

そんなことを考えているうちに、いまここで起こっていることを一瞬忘れそうになったが、ルビネックに拳銃で背中を押され、すぐに現実に引きもどされた。

「椅子にすわれ」

シャーロックはその言葉に従った。マティとバージニアはその両どなりにすわり、バールとブースはバージニアの左側に、ルビネックはマティの右側にすわった。

空いた椅子がひとつ残っていた。それはデュークという謎の男の席だろう。

そのとき、ベランダのガラス戸がとつぜん開いた。黒い燕尾服を着たふたりの男が戸を支えもち、その向こうからもうひとつの人影が日の光の下に姿をあらわした。

長身で、背たけは二メートル近くある。痛々しく見えるほどやせている。オーダーメイドのスーツ、ベスト、シャツ、ブーツ、つばの広い帽子、手袋。身につけているものは全部白で統一されている。ただし、帽子に巻いたバンドと、シャツのえりから出てベストの裏に隠れているループタイだけはちがう。両方とも黒い革でできている。最初のうちは顔色が異様に白いか、でなかったら白い化粧をしているのだろうと思っていたが、そうではなかった。陶製の白い仮面をつけているのだ。驚くほど精巧につくられていて、本物の顔のように見える。帽子の下からは、白に近いブロンドの髪がたれ、仮面をふちどっている。

けれども、仮面の穴の向こうにある目は白くはない。瞳は黒に近いが、まわりが充血しているので、仮面が白いせいもあり、その目は赤く輝いているように見える。

シャツの袖口から出ている手首は、信じられないほど細い。握手をしただけで折れてしまいそうだ。もちろん、握手をしたがっているとは思えないが。

その手首から二本の黒い革ひもが家のなかの暗がりへのびていて、動くたびに、腕をそっちの方向へ引っぱられている。なにかが革ひもを引っぱっているようだ。

ベランダに出たところで、男は立ちどまった。背後で動くものがあったが、それがなにかはわからない。大きな犬かなにかだろう。

仮面の奥から、ささやくような小さな乾いた声が聞こえた。

「やあ、ドクター・バール。ルビネック大尉、ミスター・ブース。ほかにも何人か客がいるようだが、残念ながら名前を知らない。おたがいに気分よく話を進めるために自己紹介をしてもらえないかね」

「わたしはバージニア・クロウ。エイミアス・クロウの娘よ」

「おれはマシュー・アーナット」

「なるほど。きみが海の向こうの友人だな。それで、そっちにいるのは?」

男はシャーロックに赤い目を向けた。

「シャーロック・スコット・ホームズ」

「きみもイギリス人だな。これはいい。おもしろいことになってきた」

シャーロックは男の手を見つめた。どこかおかしい。しばらくして、なにがおかしいのかわかった。指の数が足りないのだ。手袋はオーダーメイドで、ぶらぶらしているところや、後ろに縫いつけられているようなところはないのでわかりにくいのだが、左手には小指がなく、右手には薬指がない。

それだけではない。その手は体と同じように細いが、こぶのようなものがいくつかあり、手袋がところどころふくらんでいる。

シャーロックは陶製の仮面に視線をもどして、できるかぎりおちついた声で言った。

「ぼくたちにだけ名前を名乗らせるのは不公平だと思いませんか。あなたの名前は？」

「デューク・バルササーだ。念のために言っておくが、デュークというのは名前で、公爵という意味のデュークじゃない。ジュースとパンを用意したので、よかったら遠慮なくやってくれたまえ。オレンジ・ジュースはしぼりたてで、パンはオーブンからとりだしたばかりだ」

バージニアがデカンターに手をのばした。

「わたしがつぐわ」

バルササーは前に進みでた。手に持った二本の革ひもがぴんと張り、二匹の動物がベランダに出てきた。

バージニアは白いテーブルクロスにジュースをこぼした。

それはシャーロックの知らない動物だった。茶色いネコに似ているが、それよりずっと大きく、頭はバルササーの腰のあたりまである。目は黒く、しっぽをいらだたしげに動かしながら、そこにいる者たちの顔を順番ににらみつけている。

バージニアが聞いた。

「ピューマ?」

バルササーは楽しげに答えた。

「そうだ。こわがらなくていいと言いたいところだが、そう言ったら、うそをつくことになる。これほどおそろしい動物はいない」

「さあ、それはどうかしら。この動物たちは飼いならされているかもしれないわ」

バージニアは言ったが。その声は少し震えていた。

「飼いならされている? いいや、飼いならすことなどできない。でも、人間を含めてどんな生き物にも、恐怖心はある。こいつらはわたしに恐怖心を抱いている」

それから、バルササーは外国の言葉でなにか言い、するとピューマはベランダにしゃがみこんで、頭を前足の上にのせた。だが、口は半開きのままで、牙がむきだしになっている。シャーロックは思った。あの牙なら人間の手を簡単に食いちぎることができるだろう。かぎ爪は腕そのものを付け根から引きちぎってしまうだろう。

「つまり、あなたはピューマが恐怖心を抱くようなことをしたってことですね」と、シャーロックは言った。

黒ずくめの男のひとりが椅子を引くと、バルササーはそこに品よく腰をかけ、バッタのような細い足を組んだ。

「そのとおり。人間に恐怖心を抱かせるのと同じだ。痛みを与え、従わなければどうなるかということを教えこむ。動物にも記憶力がある。痛めつけられたことを覚えていて、それを教訓にするようになる。そうならなければ、処分して、別ので最初からやりなおせばいい。死体を放置しておけば、ほかの動物への見せしめにもなる」

バルササーがどんなことをしたのか想像をめぐらせるのは、愉快なことではなかった。テーブルのまわりに沈黙がたれこめ、そこにいた者の視線はピューマに釘づけになっている。

しばらくして、マティが口を開いた。

「さっきの汽車だけど、あれはあんたの思いどおりに動くのかい」

陶製の仮面は動かなかったが、バルササーはどうやら笑っているみたいだった。

「そのとおり。ニューヨークへ行くときなどに便利だからね。近くの駅まで馬車で行くのは一苦労だ。道はでこぼこだし、ほこりっぽい。汽車に迎えにこさせるほうがずっといい」

「どうしてそんなことができるんです」と、シャーロックは聞いた。

「鉄道会社にはずいぶん稼がせてやっている。わたしは実業家だ。いくつもの見世物小屋やサーカス団を持っている。彼らはめずらしい動物を連れて、全国各地を旅してまわっている。だから、ここまで引きこみ線をつくり、鉄道会社に手をまわして、汽車をここに立ち寄らせるようにしたんだ。もちろん、鉄道会社はふたつ返事で応じたわけじゃない。言うことをきかせるのはたいへんだったよ」

「あの列車の進路をそらせたのは、仲間が乗っていたからなのね」と、バージニアが言った。

「そのとおり。彼らがあの列車に乗ることも、大事な荷物がいっしょに送られてくることも、電報でまえもって知らされていたのだよ」

バルササーは言いながら、ブースにちらっと目をやった。ブースは宇宙の神秘をさぐるようにオレンジ・ジュースをじっと見つめている。

「荷物じゃないが、ブースが来ることもわかっていた。この日をどれだけ待ち望んでいたことか。これで、かねてよりの計画を実行に移せる。もうひとつの荷物ももうすでに到着している。新しい環境にもすぐになじむだろう」

バルササーはバールのひざの上の小さな木箱に目をやった。

「その箱には例のものがはいっているんだな。そうだな、ドクター・バール」

バールはうなずき、乾いた唇をなめた。

「そうです。さっそく――」

「いや、まだいい。長いこと待っていたんだ。楽しみはあとにとっておこう」

バルササーは一呼吸おいて、テーブルを見まわした。

「ところで、アイブズとギルフィランの姿がないようだが。ふたりはどこに行ったんだ」

シャーロックは考えた。アイブズは死んだし、ギルフィランは警察につかまっている。そのことはバールに話させるより、自分から話したほうがいいのではないか。そのほうが話を有利に進めることができそうな気がする。

シャーロックはバルササーの仮面にうがたれた目の穴をまっすぐ見すえた。

「ギルフィランはイギリスで刑務所にはいっています。アイブズはたぶん死んだと思います。ぼくが列車から突き落としたんです。それからアイブズに雇われていたスコティア号のウェイターも死にました。ぼくを殺そうとしたからです」

沈黙がまたテーブルを包んだ。二頭のピューマの荒い息づかいだけが低く響いている。全員の視線がシャーロックにそそがれている。

沈黙を破ったのはバルササーだった。

「きみはおもしろい男だ。どうして殺したのか、本当のところを教えてくれないかね」

「彼らの仲間への見せしめにしたかったからです。ぼくに恐怖心を抱かせるために」

バルササーは声をあげて笑った。甲高い笑い声に、ピューマが体をびくっとさせた。

「きみは本当におもしろい男だ、シャーロック・スコット・ホームズ。気にいった。きみのことが好きになりそうだよ」

ルビネックは不満そうな顔をしていた。

「平気なんですか。仲間たちを殺されたんですよ」

「ああ。平気どころか、いいやっかい払いになったと思ってるよ。子どもにやられるほどのマヌケなら、殺されてもしかたがない。自分自身で手をくださずにすんで、むしろよかった。もちろん、この小僧が今夜の夕日を見ることはない。でも、それはわたしの部下を殺したからじゃない。生かしておいても意味がないからだ」

短い沈黙のあと、バルササーは穏やかな口調で付け加えた。

「これで、われわれはおたがいのことを知りあうことができた。もうなんの気がねもない。さあ、教えてくれ。きみたちはわたしの計画をどの程度まで知っているのか」

「ぼくたちはなにも知りません」

「きみの答えはふたつの点でまちがっている。ひとつめは、きみは確実になにかを知っているということだ。きみはわたしの計画の邪魔をし、わたしの配下の者をふたりも殺した。ふつうの子どもはこんなことに首を突っこんだりしない。突っこんでも、すぐに引っこめる。わたしが知るかぎりでは、きみがはじめてわれわれの前に姿をあらわしたのは、ブースがかくまわれていた家だ。そこでアイブズとバールがきみを見ている。問題は、どうしてきみがあの家にいたのかということだ。偶然か、それともブースをさがしていたのか」

シャーロックは口を開きかけたが、バルササーは目でそれを制して、楽しげな口調で話をつづけた。

「ふたつめは、きみがなにを知っているかなどどうでもいいということだ。そんなことにはなんの興味もない。きみたちは全員とらえられていて、逃げることはできない。全員あと数時間の命だ。きみたちが知っていることも全部消える。それはまちがいない。大事なのはエイミアス・クロウがなにを知っているかだ。イギリス政府とアメリカ政府がなにを知っているかだ」

バルササーはまた一呼吸おき、陶製の仮面をシャーロックに向けた。

「答えるんだ。いますぐに。わたしが堪忍袋の緒を切らすまえに」

雲ひとつない青い空からは強い日ざしがふりそそいでいる。なのに、ベランダには冷たい風が吹きつけているかのようだ。

「どうせ殺されるとしたら、どうして話さないといけないんです。話したからといって、命が助かるわけじゃない。ちがいますか」

「なるほど。もっともな指摘だ。よかろう。アメリカは取引と交渉の国だ。取引をしよう」

陶製の仮面がバージニアのほうへ向いた。

「手を前にさしだせ」

バージニアは目に恐怖の色をたたえてシャーロックを見た。

どうしたらいいのか。言われたとおりにすべきなのか。それとも、無視すべきなのか。

どちらにしても、その結果どうなるかはわからない。バルササーの物腰は穏やかだが、頭は狂気のふちをさまよっている。

「じれったいな。頼む、ルビネック」

ルビネックは椅子から身を乗りだして、バージニアの手首をつかみ、腕をまっすぐにのばさせた。

「それでいい」

バルササーは言い、それからわけのわからない外国語を二言三言つぶやいた。

一頭のピューマが起きあがって、バージニアのほうへ歩いてきた。足を前に出すたびに、筋肉をおおう皮膚がなめらかに動いている。

ピューマは口をあけて、首をのばした。そして、バージニアの手がそのなかにはいると、牙が皮膚にあたるところまで口を閉じた。

ルビネックはバージニアの腕をはなして、椅子にすわりなおした。

「これからふたつのうちのどちらかひとつが起こる。きみがわたしの知りたいことを話すか、この娘が手を食いちぎられるか」

陶製の仮面の下で、バルササーはあきらかに笑っている。

「ついでだから、二頭のピューマの名前を教えておこう。こちらはシャーマン、もう一頭はグラント。どちらも北軍の将軍の名前からとった。ちょっとしたジョークだ」

バージニアはじっとシャーロックを見つめている。

「おれが話すよ」と、マティがたまらず言った。

「だめだ。わたしはシャーロック君の口から聞きたいんだ。彼はどうやらきみたちのリーダーのようだからね。わたしをおそれることを学ばせ、手なずけなきゃならない。わかっていると思うが、死ぬにはいろんな方法がある。拳銃で頭を撃たれて死ぬのは一瞬のことで、痛みも少ない。出血多量で死ぬのは時間がかかり、痛みは大きい。きみたちに死ぬか生きるかを選ぶ権利はない。でも、死に方は選べる。一瞬か、ゆっくりか。苦しむか、苦しまないか」

シャーロックは胸が激しく鼓動を打つのを感じながら言った。

「わかりました。ピューマをさがらせてくれたら、質問に答えます」

「だめだ。先に質問に答えたまえ。そうしたら、ピューマをさがらせる」

シャーロックは思った。ベランダの張りつめた空気が目に見えるような気がする。問われているのはおたがいの胆力だ。だが、分は圧倒的に悪い。

「イギリスの政府当局はジョン・ウィルクス・ブースのことを知っています」と、シャーロックは答えた。「死んだと思われていたけど、実際はそうではないということも。日本からイギリスへ連れてこられ、いまはアメリカにいるということも。そのことはピンカートンという探偵事務所も知っています。話はアメリカ政府にも伝わっているはずです。でも、あなたたちがブースを使ってなにをしようとしているかは知らないと思います」

「なるほど。つづけたまえ」

「もうありません。それだけです」

「いや、あるはずだ。たとえば、政府当局はわたしのことを知っているのかとか」

「いいえ、知らないはずです」

「では、きみがさっきの列車に乗っていたのは偶然だったのかね。そうは思えないが」

シャーロックはバールとルビネックに手をやった。

「彼らを追ってたんです。マティをとりもどすために」

「きみたちはだれかといっしょに来たんじゃないのか」

「いいえ、だれともいっしょじゃありません」

「信じられない」

沈黙があった。ピューマにバージニアの手を食いちぎらせる指示を出すかどうか考えているのだろう。

助けを期待することはできない。すべてはバルササーの気まぐれな心のうちで決まる。祈るしかない。

祈りは通じた。

バルササーがまた外国語でなにか言うと、ピューマは残念そうに頭を引っこめた。腕から牙がはなれると、バージニアの体全体から力がぬけたようだった。ピューマはバージニアをひとにらみしてから、バルササーのところへもどっていった。

「質問があります」と、シャーロックは言った。

仮面の穴の向こうにある赤と黒の目がシャーロックを見つめた。

「ルールがわかっていないのか。わたしが質問し、きみが答える。そうすれば、きみたちは痛みを感じずに一瞬で死ぬことができる。そういう約束になっていたはずだ」

「でも、それは単なる口約束です。ぼくが質問に答えても、あなたが約束を守るという保証はなにもありません。単なる楽しみのために、あなたはぼくたちをなぶり殺しにするかもしれない。としたら、協力しても、なんの得にもならない。なぶり殺しにされる時間を少し遅らせることができるだけです」

「筋は通っている。たしかに単なる口約束でしかない。なんの保証もない。よかろう。きみからの提案は?」

「ぼくの質問に答えてくれたら、あなたの言葉を信じます」

「悪くない。それで、わたしは情報を得ることができる。失うものはなにもない。きみのほうは、もともと失うものをなにも持っていない。どんなふうに死ぬかを決める権利もない。でも、知りたいことを知ることはできる。わかった。それでいい。質問したまえ」

「あなたはジョン・ウィルクス・ブースをどうするつもりなんですか。なんのためにアメリカに連れてかえったのですか。それは何人ものひとを殺さなきゃならないくらい大事なことなんですか」

「ひとはいつか死ぬものだ。ほとんどがつまらない理由で。でも、わたしはきみが気にいった。きみには強い意志がある。だから教えてやろう」

バルササーはバールとルビネックに目をやった。

「こいつらにはどうせ理解できない。金だけが目あてなんだから」

「ちょっと待ってください。いくらなんでもそれは――」

バールは言いかけたが、バルササーの目を見て口をつぐんだ。

「きみはイギリス人だが、アメリカの内戦のことは知っているな」

シャーロックはうなずいた。

「ぼくの兄は奴隷制が原因だと言っていました。でも、クロウ先生はそんな単純なものじゃないと言っていました」

「そのとおりだ。最終的には自決権の問題になる。八年前、エイブラハム・リンカーンに率いられた共和党は、奴隷制をいま以上に拡大させないことを公約にして、選挙戦に勝利した。その結果を受けて、サウス・カロライナ、ミシシッピ、フロリダ、アラバマ、ジョージア、ルイジアナ、テキサスの七州が連邦からの脱退を宣言した。そして、ジェファーソン・デービスを大統領とするアメリカ連合国という新しい国家をつくった。二か月後には、バージニア、アーカンソー、ノース・カロライナ、テネシーも同様に連邦を脱退した」

「よくわからないな」と、マティが口をはさんだ。「連邦を脱退するって、どういうことなんだい」

「要するに、連邦内の州が独立して、新しい国になることだ。それは州の権利として、独立宣言のなかでも認められている。なのに、当時の大統領のジェームズ・ブキャナンも次期大統領のエイブラハム・リンカーンもそれを認めず、反乱と見なし、違法行為と決めつけた。奴隷制を存続させるかどうかは、第一の問題ではない。われわれが戦ったのは、リンカーンが率いる国から独立して、自分たちの国をつくる権利を守るためだ。たとえ奴隷制が問題にならなかったとしても、われわれは別の理由で連邦と闘っていただろう」

「でも、あなたたちは負けました」と、シャーロックは言った。「リー将軍はグラント将軍とシャーマン将軍に降伏しました」

「あの男に降伏する権利はなかった。そんな権限など持っていなかった。表向きは、戦争はおわったことになっている。でも、実際はちがう。連合国の亡命政府はいまも連邦の圧制から自由になるための闘いをつづけている」

　このとき、シャーロックはバルササーの手の奇妙な動きに気づいた。いや、正確に言うと、動いているのは、手ではない。手の上にあるものだ。

　左の手袋の白い布地がうねっている。さっきおやっと思った、こぶのようなもののひとつだ。それが手首のほうへ少しずつ動いている。いったいなんなのか。

　バルササーはシャーロックの視線に気づいて言った。

「なるほど。どうやらわたしの小さな友人に気づいたようだな。よろしい。では、正式に紹介しよう」

　バルササーは右手で左の手袋の先を持ち、ゆっくり引っぱりはじめた。

　バージニアは息をのみ、マティはゲーっという嫌悪の声をもらした。

　その手には小指がなく、手首は腫れ物だらけのように一瞬見えたが、そうではなかった。ナメクジのような生き物がこびりついているのだ。その生き物の皮膚は赤みがかった灰色で、ヌルヌルしている。じっと見ていると、かすかに波打っているのがわかる。

「そ、それはいったい……」

　バルササーはもう一方の手袋をとった。右手には薬指がなく、やはりナメクジのような生き物がこびりついている。

「わたしのおかかえ医師たちだ。みんなでわたしの健康を支えてくれている」

バルササーは右手をあげて、左耳の後ろの留め金をはずし、陶製の仮面をとった。

二頭のピューマは低い声でうなりながら、ベランダをあとずさりしようとしている。

バルササーの顔はやせこけ、頬骨と鼻が突きでていた。だが、人相はよくわからなかった。骨のない小さな生き物が、白い肌に黒いタールのしずくのようにぶらさがっていたからだ。

14

バージニアは吐き気をもよおしたような声を出し、マティは聞いたことのない言葉を口にした。長い航海中に覚えた、不快感をあらわす言葉だろう。

シャーロック自身は興味しんしんだった。気味が悪いのはたしかだが、好奇心はそれ以上に大きい。よく見ると、バルササーの顔には小さな三角形の傷あとがいたるところについている。顔にこびりついている生き物がかんだあとだろう。

シャーロックは嫌悪感を表に出さないようにして言った。

「だから、仮面をかぶっているんですね」

「なんだい、その顔にくっついてるのは?」と、マティが言った。

バージニアが答えた。

「ヒルよ。吸血ヒル。小川や池に住んでいる生き物よ」

「ヒル? そんなものに血を吸わせているのか? 信じられない」

「だが、そのおかげでわたしは生きながらえている。遺伝性の病気なんだよ。父も祖父もそれで死んだ。血管内の血の流れがひじょうに悪くてね。治療をしなければ、細胞が少しずつ死んでいく」

バルササーは指のない手をあげてみせた。

「父が死んだときには、手はもうほとんど残っていなかったらしい」

「ヒルがその病気の治療に役立つんですか」と、シャーロックは聞いた。

「ヒルの唾液には、血をかたまらせない成分が含まれている。べつに不思議なことじゃない。でないと、血を吸うことができないからね。ヒルにかみつかせると、血をかたまらせない成分を出してくれる。それで血液の循環がよくなる。血管のなかを血が勢いよく流れるようになるんだ」

「でも、血を吸いとられるんだろ」と、マティが言った。

バルササーは肩をすくめた。

「ほんの少しだ。健康のためには、多少の犠牲は払わなければならない。その程度はなんの問題もない。そうそう、それで思いだした」

バルササーは言いながらバールのほうを向いた。

「例のものは?」

バールはおそるおそるひざの上の箱をテーブルに置き、ふたの留め金をはずして、なかからガラス瓶をとりだした。ガラス瓶の口は、ろう紙がかけられ、紐でとめられている。そのなかには、ぞっとするようなものがはいっていた――巨大なヒルだ。

バルササーの顔や手についているヒルの大きさは、シャーロックの小指くらいしかない。だが、ガラス瓶のなかのヒルは握りこぶしくらいの大きさがあり、赤くヌメヌメと光っている。体を丸め、小さな頭を左右にふりながらエサをさがしている。

バージニアは手を口にあてて、顔をそむけた。

ピューマはおびえて、牙をむきだし、目を大きく見開いている。ベランダから逃げだしたがっているようだが、なんとかその場に踏みとどまっているのは、ヒルよりバルササーのほうがこわいからだろう。

バルササーはテーブルの上のガラス瓶を手にとった。

「すばらしい。最後に血を吸ったのはいつだ」

「一か月ほどまえと聞いています」と、バールは答え、ちょっとためらったあと、意を決したように付け加えた。

「医師として、あなたの主治医として言わせていただきますが、その治療法にはどれほどの効果があるとも思いません。あまりにも……あまりにも気味が悪すぎます」

「でも、わたしは生きている。手と足の指が何本か欠けているが、いまもいちおうは五体満足だ。それがなによりの証拠じゃないか。そして、いまはそこにこの美しい生き物が加わった。これで、わたしはより明晰な頭脳と無限の体力を得ることができる」

ろう紙をとめている紐の先端を引っぱると、結び目は簡単にほどけた。バルササーはガラスの瓶のなかに手をいれ、そこにいたヒルをそっととりだした。

ヒルは指からだらりとたれさがった。

バルササーは一房の細い白髪を額から払うと、ヒルを右耳の後ろにもっていった。

ピューマはネコのような鳴き声をあげている。ヒルがよほどこわいのだろう。

ヒルは頭をもぞもぞ動かして、血管をさがしだし、皮膚に吸いついた。尾も同じようにもぞもぞ動いていたが、しばらくしてそれも皮膚に吸いついた。

バルササーは目を閉じ、満足げにほほえんだ。

「そうだ。それでいい。さあ、吸え。どんどん吸え」

「どれくらいの期間、体にくっつけているんですか」と、シャーロックは聞いた。

バルササーは目を閉じたまま夢見心地で答えた。

「数日間。数週間のときもある。満腹になると、ヒルは皮膚からはなれて、吸いとった血を消化する。そのあいだの一、二か月はほとんど動きもしない。ここには大量のヒルがいる。ほとんどはフロリダやアラバマでとれたものだが、これほど大きいのはいない。特大だ。それがアジアのジャングルにいることはわかっていた。というより、感じていた。わたしを呼んでいたんだ。わたしのところへ連れていってほしいと叫んでいたんだ」

ジョン・ウィルクス・ブースが煙のにおいの話をするときの口調によく似ている。うわごとのようで、現実に焦点があっていない。ヒルは血をかたまらせない成分だけでなく、寄生主に心地よい幻覚を生じさせる麻薬のような成分も出しているのかもしれない。あとで調べてみよう。だが、あとがあるかどうかはわからない。ここから逃げだす方法はまだ見つかっていない。

バルササーの足もとで動きがあった。ピューマがまた少しずつあとずさりしはじめている。

「シャーマン、グラント」

バルササーは低い声で言い、それからまた意味不明の言葉を口にした。ピューマは足をとめたが、体はこわばったままだった。

シャーロックはヒルに視線をもどした。赤い体はバルササーの耳の後ろから血を吸いとりながら波を打っている。

「時間をむだにしたくない。ほかに質問は？」

シャーロックは無理やりヒルから目をそらした。

「南軍の亡命政府はいまも連邦の圧制から自由になるための闘いをつづけているとのことでしたね」

「そのとおり」

「実際にはどんなことをしようとしているんです」

「あててみたまえ。あたっていたら、そう言う」

「どうしてぼくがそんなことをしなきゃならないんです」

「きみにあてることができるのなら、政府当局にもあてることができるということだ。約束しよう。あてられなかったら、答えを教えてやる」

シャーロックは考えた。話が長びけば長びくほど、死を先のばしにすることができる。そのあいだに逃げる方法を思いつくかもしれない。クロウ先生が助けにきてくれる可能性もある。

「わかりました。ジョン・ウィルクス・ブースは精神に異常をきたしています。いつも幻覚を見たり、やたらと暴力的になったりしています。ここに連れてくるまでと同じように、これからも薬づけにしておくしかありません。暗殺者としてはあきらかに使いものにならない。でも、仲間たちを集めるための旗印にはなる。ジョン・ウィルクス・ブースが表舞台に出てくれれば、兵士たちの士気はあがる」

バルササーはうなずいただけで、なにも言わなかったが、シャーロックはそのときふと思いついた。いま自分がなにげなく使った〝兵士〟という言葉にピンときたのだ。

「あなたは兵士を集めているんですね。あなたが合法的に政府を打倒しようとしたり、分離独立を求めようとしているとは思えません。あなたは兵士を再結集させようとしている。ちがいますか。旗印が必要なのはそのためです。ブースがいれば、兵士たちに動機を与えることができます。内戦と今回あなたがしようとしていることを直接関係づけることができます」

「つづけたまえ」

バルササーはまたうなずいた。

「でも、あなたがつくった軍隊にどれほどの力があるとも思えません。少なくとも、以前と同じような力は持てないはずです。あなたたちはすでに一度負けているんです。だとしたら、こんどは別のことをしなきゃならない。それはなんなのか。アメリカ国内で戦えないとしたら、別の国に攻めこんで、そこの土地を占領するしかない」

シャーロックはけんめいに思案をめぐらせ、スコティア号の船内で見た地図を頭に思いうかべた。

「メキシコですか?」

バルササーは首をふった。

「考え方としてはまちがっていない。でも、ちがう。数年前にそういう計画を立てたことはある。でも、現実性にはとぼしかった。メキシコは暑すぎる。乾いた不毛地帯だ。われわれに対抗できるだけの軍隊も持ってもいる」

「だったら、どこなんです」

シャーロックは聞き、自分で答えを出した。

「軍隊は国境をこえなきゃならない。アメリカにはふたつの国境がある。ひとつはメキシコとの国境、もうひとつは……カナダ」

バルササーはうなずいた。

「ご名答だ。そのとおり、われわれは数千人の兵士を集めて、ここからそう遠くないところに野営させている。目立たないように何か月もかけて少しずつ集めたんだ。われわれはジョン・ウィルクス・ブースを旗印にして進軍を開始する。まずハリファックス港を占拠して、イギリスからの物資の補給路を断つ。つぎにウィニペグに攻めいり、東西カナダを分断する。それから、ケベック州と五大湖地域を占領する。そのあと、志を同じくする者を集めて、神のおぼしめしどおりに奴隷制を復活させ、新しい国家を樹立する」

「カナダというのはそんなに魅力的なところなんですか」

「少なくとも、アメリカ国境に近い地域は気候がよく、土地は穀物の栽培に向いている。貿易に適した港もある。われわれに手向かう軍隊もない。まだある。そこは最近連邦制を採用したばかりのイギリス領だ。イギリスは北軍との戦いでわれわれに支援の手をさしのべることを拒んだ」

「イギリス政府がカナダを見捨てるとは思えませんが」

バルササーは鼻で笑った。

「いいや、連中は見向きもしないだろうよ。われわれが占拠している港に三千マイルもはなれたところから軍隊を送ってくるとは思えない。二年か三年は外交的にあれこれ言ってくるだろうが、結局のところカナダはわれわれのものになる」

「あなたが大統領になるんですか。陶製の仮面をつけたまま」

バルササーの頭がぴくっと動いた。痛いところをつかれたということだろう。

「大統領にはジョン・ウィルクス・ブースがなればいい。しかるべき教育と治療はもちろん必要だがね。あるいはロバート・E・リー将軍でもいい。候補者はいくらでもいる。だが、裏で実権を握るのはわたしだ」

とつぜん話がとぎれた。小さなヒルが顔からテーブルの上にぽとりと落ちたのだ。バルササーはそれをちらっと見て言った。

「このヒルはけっこうな年でな。長いことわたしに仕えてくれた。そろそろ引退の時期のようだ」

バルササーはテーブルの上のヒルをつまむと、口のなかに放りこみ、牡蠣(かき)のように飲みこんだ。

テーブルクロスには、赤いしみが残っている。シャーロックはそれをじっと見つめた。なんでもいいから、なにかに集中していないと、吐(は)いてしまう。

バルササーはヒルのかみ傷だらけの顔に陶製(とうせい)の仮面をかぶりなおして、ささやくようなか細い声で言った。

「たいしたものだ。きみは切れ切れの数少ない情報からわたしの計画をみごとに言いあててみせた。でも、それは意外に簡単なことで、実際にはだれにでもわかることなのかもしれない。いずれにしろ、のんびりとはしていられない。きみのような子どもにできることが政府当局にできないわけはない。つまり、計画は数日中に実行に移さなければならないということだ。そのことがわかっただけでも、きみに感謝しなければならないな」

「わたしたちはどうなるの?」と、バージニアが聞いた。その声は誇(ほこ)らしく思えるくらいおちついている。

「きみたちはもう必要ない。きみたちは処分される」

バルサザーの声には怒りも恨みもなかった。なんの感情もこもっていない。紅茶の値段の話でもしているような口調だ。

「どんなふうに？」と、シャーロックは聞いた。

「もしかしたら、わたしはきみたちに誤解を与えたかもしれないが、わたしの心のなかでは、きみたちの運命は最初から決まっていたんだよ。それはわたしがかかえている当面の三つの問題を一挙に解決してくれる。ただし、それなりの苦痛は覚悟してもらわなきゃならない」

無表情な陶製の仮面がルビネックのほうに向いた。

「客人を新しい飼育場にお連れしろ、大尉。わたしの新しいペットたちは腹をすかせている」

それから、またシャーロックのほうにもどった。

「わたしのおかかえハンターは、めずらしい動物をつかまえたら、かならずそのときにエサをたっぷり与えるようにしている。それを消化するには数週間かかり、そのあいだその動物はなかば昏睡状態にある。けれども、今回はボルネオからの長旅だ。最近の様子を見ていると、どうやらまた腹をすかせはじめたらしい」

少し間があった。仮面の下で、バルササーはあきらかに笑っている。

「見世物小屋では、人気者になるにちがいない。きみたちは彼らのエサになる。そうすれば、きみたちの死体を処理する必要もなくなる。わたしのペットは産地のはっきりした良質な肉を食べて、満腹になる。聞いた話だと、獲物をつかまえると、水のなかに持っていき、岩陰にたくわえておくらしい。そうやって肉を柔らかくするんだ。われわれはその様子を見てたのしむことができる」

シャーロックが口を開くまえに、ルビネックの合図でふたりの男が物陰から出てきた。シャーロックとマティとバージニアは、それぞれ肩をつかまれて、乱暴に椅子から立ちあがらされた。

シャーロックは絶望的な思いにかられた。結局のところ、苦痛に満ちた、残酷な殺され方をするのだ。バルササーの言う新しいペットがなにかはわからないが、リスやオウムのようなかわいらしい動物であるわけはない。それは大きくて、とがった歯を持った、凶暴な獣にちがいない。

ベランダを押されて歩いているとき、マティと目があった。おびえているのはまちがいないが、口もとには小さな笑みが浮かんでいる。

三人はベランダのはしから地面におり、列車から見た小さな動物園のようなところへ連れていかれた。その一画に、まわりを新しい塀で囲まれた場所があった。塀の切れ目には階段がついていて、その上に高い台があり、そこから囲いのなかにあるものを見おろせるようになっている。台の先からは、一枚の細長い厚板がまっすぐ突きでている。

階段はもうひとつあり、それは下の暗闇のほうへのびている。その先になにがあるのだろうと考えていたとき、シャーロックはルビネックに背中を押され、台の上にあがらされた。マティとバージニアもやはり背中を押されて、台の上にあがってきた。

上から見ると、塀の内側は、その三分の一ほどが池になっていることがわかった。あとは岩場で、でこぼこしていて、ところどころに草が生えている。生き物の気配はないが、そのせいで逆に不気味な感じがする。

また背中を押されて、厚板の前まで歩いていかされた。マティとバージニアもついてこさせられている。

「どうすればいいかわかってるな。行け」と、ルビネックは言った。

「いやだと言ったら?」

ルビネックは手をあげた。その手には、てのひらより少し大きいくらいの二連式の拳銃が握られている。

「おまえが生きていても死んでいても、このなかにいるやつは気にしない。おれも同じだ」

シャーロックは屋敷のほうへ目をやった。バルササーはまだベランダにいる。ここに来て見物するつもりだろうと思っていたが、そうではなかった。テーブルの上に地図をひろげて、じっと見ている。さっきの話などもうすっかり忘れているようだ。

しかたなく前へ進みでる。体重で厚板がしなる。岩だらけの地面までの距離は約三メートル。

シャーロックがおとなしく命令に従ったので、ルビネックは拳銃を上着のポケットにしまっていた。

「飛べ」と、ルビネックは命じた。

「下は岩場だ。飛びおりたら、足の骨が折れてしまうよ」

「だから？」

ルビネックは上着のポケットを軽くたたいた。それがなにを意味するかは明白だ。

シャーロックは下をのぞきこみ、一度バージニアに目をやってから、後ろに二歩さがり、そこから走っていった。

厚板のしなりを利用して体をななめ上に押しだす。それでなんとか池まで飛ぶことができた。着水と同時に、空中に大きな水しぶきがあがる。強い日ざしで水はあたたかくなっている。そこになにがいるかはわからないが、とにかく必死で池のはしまで泳いでいき、岩の上にあがって、水をしたたらせながら周囲を見まわした。いまのところ、向かってくる動物はいない。

上を見ると、バージニアが厚板の先端で立ちすくんでいた。マティは厚板の上にのり、だがそこであとずさりし、ルビネックに押しもどされた。

忍び寄ってくるものがいないかどうかたしかめるためにまた周囲を見まわしたとき、たてつづけにふたつの水しぶきがあがった。バージニアとマティが池に飛びこんだのだ。

ふたりが泳いできて、水面に顔を出すと、シャーロックは手をさしだして、ひとりずつ岩場へ引っぱりあげた。

「ここにはなにがいるんだろう」と、マティは聞いた。

「さあ、わからない」

シャーロックは答えて、バルコニーのほうへ目をやった。ルビネックたちはちょうどそこから立ち去るところだった。塀のなかでこれから起こることは、見物するに値するほど楽しいものではないということだろう。

「見張りはいない。逃げだすチャンスよ」

バージニアは言ったが、マティは否定的だった。

「塀が高すぎてのぼれないよ」

シャーロックはまわりを見まわした。

「あちこちに岩が転がっている。それを積みあげて、のぼれば、塀のてっぺんに届く……いや、だめだ。塀の上にのぼったら、屋敷からやつらに見られる。別の逃げ道をさがさなきゃいけない」

塀の反対側から耳ざわりな音が聞こえた。心臓がドキドキしはじめる。なにがいるのか。しばらくのあいだはなにも見えなかった。と、とつぜん岩と岩のあいだの暗がりから、この世のものとは思えない不気味な頭があらわれた。細長くて、顔の両側に小さな目がついている。皮膚は緑がかった灰色で、長いあごからひだのようなものがぶらさがっている。口は半開きになっていて、ふたつに分かれた赤い舌がちょろちょろと出たりはいったりしている。歯は人間の小指ほどもあり、鋭くとがっていて、つかまえた獲物を逃さないように内側にまがっている。

「なんだ、ありゃ」

マティは息をのみ、バージニアはくぐもった悲鳴をあげた。

化け物は前に進みでた。長さはシャーロックの身長と同じくらいで、その半分は太いしっぽだ。体の両側に飛びでた四本の足で歩いていて、足の先にはまがった爪がついていて、岩の上を滑るように歩いている。皮膚はたるんで体からぶらさがり、歩くたびにゆさゆさ揺れている。

はなれたところからでも、その目になんの感情も宿っていないことはすぐにわかる。頭のなかには空腹を満たすことしかないようだ。

「わたしたちと同じ大きさよ」と、バージニアが言った。「最初はフロリダにいるワニの一種かと思ったけど、ちがうわ。ワニはのろまだし、水から出るのを好まない。でも、これはすばやいし、岩の上を歩くのも平気みたい」

「トカゲだ」と、シャーロックは言った。「でも、大きすぎる。こんな大きいのは見たことがない」

トカゲは平らな岩の上に出て、舌を出したり引っこめたりしながら、三人をじっと見ていた。エサだと思っているのだろう。

横のほうでなにかが動いた。そっちのほうを向くと、もう一匹のトカゲが別の岩のあいだから出てきていた。最初のよりも大きい。

「見て！」

バージニアが叫んだので、二匹めのトカゲを見たのだろうと思ったが、そうではなかった。指をさしているので、そっちに目をやると、さらにもう一匹のトカゲがいた。頭を左右にふりながら、塀伝いに近づいてくる。

最初の一匹はわざと遠まわりをし、二匹めはまっすぐ三人のほうに向かってきはじめた。歩くたびに体が揺れている。

大事な獲物を逃がさないよう、猟犬のように連携をとりあい、じわじわと包囲網をせばめてきているのだ。

シャーロックは考えた。体の大きさと鋭い歯からすると、肉食であるのはまちがいない。あきらかに飢えている。利口だが、犬のような用心深さはない。おそれの感情もないみたいで、こちらの動きを気にすることなくどんどん近づいてくる。声や身ぶりで威嚇しても、なんの効果もないにちがいない。石を投げても同じだろう。まるで歯がある獰猛な機械のようだ。

距離は少しずつ縮まってくる。シャーロックとマティとバージニアはじわじわと塀のほうへあとずさりしはじめた。逃げ道はない。

マティが顔にしわを寄せた。

「なんのにおいだろう」

たしかににおう。腐った肉のにおいだ。エサを丸のみし、数週間かけてそれを消化するとしたら、そのにおいはおそらくトカゲの体内から出ているのだろう。

「どうしたらいいのかしら、シャーロック」と、バージニアが小さな声で言った。

「それをいま考えてるんだよ」

本当だ。いままでこんなに必死になって考えたことはない。

右側の一匹がまた数歩前に進んだとき、マティがしゃがんで地面から石を拾い、投げつけた。石はトカゲの横の塀にあたって落ちたが、体の両側に突きでた足がとまることはなかった。トカゲはおそれてもいないし、警戒してもいない。

左側の一匹が頭をあげて空気を吸い、シューッという音を出した。すると、あとの二匹も同じような音を出した。仲間うちでコミュニケーションをとりあっているのかもしれないし、単に獲物をこわがらせて動けなくさせようとしているだけかもしれない。

距離は最初の半分くらいになっている。トカゲは小さな歩幅で少しずつ前進してくる。急いではいない。とつぜん突進してくるような気配はない。少しずつ、だが確実に獲物を追いつめつつある。

それを食いとめる手立ては見つからない。

15

マティはトカゲが話を聞いているかもしれないと思っているかのように小さな声で言った。

「池に飛びこむってのはどうかな。水のなかで、あいつらがどこかへ行くのを待つんだ」

「あいつらは水のなかでも生きられる」と、シャーロックは答えた。「あの足を見ろ。水かきがついている。たぶん、ぼくたちよりうまく泳げるよ」

シャーロックは周囲を見まわしたが、岩と潅木（かんぼく）のしげみがあるだけで、武器になりそうなものはなにもなかった。

トカゲはすぐ近くまで来ている。腐（くさ）った肉のにおいは耐（た）えられないくらい強くなっている。

「もしかしたら、こいつが役に立つかもしれない。さっきの男の上着のポケットからちょうだいしたんだ」

ふりむくと、マティは二連式の小さな拳銃を持っていた。

「レミントン・デリンジャーね。わたしもまえに持ってたわ。パパに買ってもらったのよ」

「ちょうだいしたって、いったいどうやってちょうだいしたんだい」

マティは肩をすくめた。

「特技があるから、生きていけるんだよ。スリもそのひとつさ」

シャーロックは視線を拳銃からトカゲに移し、それからまた拳銃にもどした。

「弾丸は二発しかはいっていない。でも、相手は三匹だ。歩は悪い」

「でも、チャンスは広がるわ」

「一匹でも生き残れば、ぼくたちは助からない。少なくとも、ひとりは食い殺される。そんなことはできないよ」

「ほかにいい考えがあるのか」

「なくもない。あいつらはどうやってこの塀のなかにいれられたのか。厚板の上から落とされたとは思えない。そんなことをして、怪我をさせたくないはずだ」

「どこかにゲートがあるってことかい」

「理屈ではね。さがせば、見つかるはずだ。トカゲの足はぼくたちより遅い。あの岩にのぼって、そこからトカゲの頭の上を飛びこし、その後ろにおりよう。全速力で走れば、トカゲはついてこられない。走りながら、ゲートをさがそう」

マティとバージニアが口を開くまえに、シャーロックはトカゲのほうに向かって走りだした。鋭い歯を持った三つの口が大きく開き、とつぜんシューッという音があがる。余計なことはなにも考えないようにしよう。岩のひとつに飛びのり、そこからもっと大きな岩に飛びうつったとき、足もとで岩がぐらっと動いた。落ちたら一巻のおわりだ。

バランスを崩しながらも身をひるがえすと、トカゲたちは後ろ足で立ちあがり、長いあごをのばして、足首にかみつこうとしたが、なんとか平らなところに着地することができた。

後ろをふりむいたとき、バージニアが飛びおりてきた。着地と同時に、シャーロックはその体を支えて片側へ引きよせ、マティのために場所をあけた。

マティが岩を蹴ると、トカゲたちはいっせいに口をあけた。そのうちの一匹は太いしっぽではずみをつけて宙に舞ったが、一瞬遅かった。マティは着地すると、横に転がり、そして立ちあがった。

三匹のトカゲはなんの感情も表さず、向きを変え、黒い小さな目を光らせて、また三人に近づいてきた。

「急ごう！」

シャーロックは叫んで、塀のほうへ走りはじめた。塀の右側にはなにもない。塀の左側は岩の陰になっていて、下のほうは見えない。その岩の裏側にはいって、塀にそって走りはじめたが、やはりゲートは見つからない。しばらくいくと、開けたところに出た。その向こうには草が生いしげり、それが塀を隠している。草をかきわけると、鉄格子のゲートがあった。地面から腰の高さあたりまであり、左側がちょうつがいでとめられ、右側のゲートの向こう側にはボルトがついている。

そして、ボルトには大きなナンキン錠がかかっている。

マティがとなりにやってきて、拳銃をさしだした。

「これで錠をこわせるかも」

シャーロックはしばらく考えて言った。

「だめだろうね。これだけ大きい錠じゃ、弾丸ははねかえされる」

「ちょうつがいは？」

「ちょうつがい三つ。でも、弾丸は二発。また同じ問題に行きあたる」

バージニアが心配そうにふりむいた。

「選択の余地はいくらもないわ」

マティが鉄格子を蹴った。だが、その程度の力ではびくともしない。

シャーロックは考えたが、どちらとも決めかねて、思案は堂々めぐりをくりかえすばかりだった。選択肢はふたつ。二匹のトカゲを撃ち殺しても、一匹は残る。ナンキン錠を撃っても、こわれるかどうかはわからない。どちらをとるべきか。

兄さんなら、こんなときなんと言うか。クロウ先生ならどうか。汽車に乗っていたときと同じように、頭のなかで小さな声が聞こえた。〝選択肢がふたつしかなくて、どちらも気にいらないときには、三つめの選択肢を見つけだせ〟

さっき飛びこんだ池に目をやったとき、ふと思いだした。見物用の台にあがる階段の横に、下り階段があった。それはここに通じているのではない。このゲートは地面と同じ高さにあるのだ。それは別の場所に通じている。池は塀に近いところにある。バルササーはトカゲがエサを水中の岩陰にたくわえておく様子を見ることができると言っていた。ということは、地下にはガラス窓ごしに水のなかを見ることができる部屋があり、下り階段はそこに通じているということだ。

だが、たとえそうだったとしても、どうすればそのガラス窓を割ることができるのか。ガラスは水圧に耐えられるよう分厚いものが使われているはずだ。

ガラスがもたないくらいの圧力をかけるには、どうしたらいいのか。

シャーロックはマティの手から拳銃をとった。

シャーロックはバージニアのほうを向いた。

「これと同じ拳銃を持ってたと言ってたね。弾丸のこめ方を教えてくれないか」

「いいわよ。まず銃身に火薬をいれ、あいだに空気がはいらないように気をつけながら、その上に紙で包んだ鉛の玉をこめる。それから、銃身の反対側に雷管と呼ばれるものをつける。それだけよ。あとは引き金をひくだけ」

「紙で包んだ鉛の玉？」

シャーロックは言いながら銃口をのぞきこんだ。

「ああ、ほんとだ。たしかに紙に包まれてる」

「気密性を高めるために、ろう紙が使われてるのよ。それがそんなに大事なことなの？」

「気密性が高いってことは、水を通さないってことだ。少なくとも、しばらくのあいだは」

バージニアが答えるまえに、シャーロックはふりかえって、拳銃の撃鉄を起こしながら走りはじめた。池のへりまで来ると、拳銃を持ったまま、両手を前にのばして、水のなかに飛びこんだ。

すぐに水が頭の上まで来た。音がとつぜんくぐもる。水はあたたかく、まわりにはゴミや水草が漂っている。

足で水を蹴って、見物用の台の下の塀のほうへ向かうと、思ったとおり、そこに金属の枠にはめられたガラス窓があった。ぐずぐずしていたら、拳銃に水がはいりこんでしまう。銃口をガラスに向けて引き金をひく。

以前なにかで読んで知っていることだが、水は圧縮されない。どんなに力を加えても、それ以上密にはならない。圧力を加えたら、それはどこかほかの場所に伝わる。水と接触しているものなら、なんでもいい。

つまり、こういうことだ。撃鉄が雷管にあたると、なかの起爆薬に火がつき、それが火薬を急激に燃やして、高温のガスを大量につくりだす。ガスは鉛の玉を押す。鉛の玉は銃身のなかで水を押し、その水は窓ガラスを押す。それで窓は割れるはずだ。

実際に割れて、窓は粉々になった。

シャーロックは水といっしょに地下室に吸いこまれた。その部屋のすみには、階段があるはずだ。バージニアとマティが意をくんで、あとについてきてくれていたらいいのだが。ひとこと言っておくべきだったが、いまからではもう遅い。でもあのふたりなら、自分がなにを考えているかわかっているはずだ。

長いこと息をとめているので、肺が焼けるように熱く、心臓は胸を激しくたたいている。

けんめいに腕を動かして濁った水をかいているうちに、手の甲が階段の石にふれた。そこから上に向かって泳いでいく。

頭が水から出た。ちょうど地面と同じ高さで、上からは日の光がふりそそいでいる。何度も深呼吸をしたが、胸の鼓動はなかなかおさまらない。

背後でマティの頭が水から出てきた。そのすぐあとにバージニアの頭がつづく。

マティは荒い息をつきながら言った。

「すごい。なんだかよくわからないけど、とにかくおまえのおかげで助かったよ」

「安心するのはまだ早いわ」と、バージニア。

「どういうことだよ」

「シャーロックが言ったでしょ。あの生き物は水のなかでも生きられるって」

三人は顔を見あわせ、あわてて水から出た。

下りの階段も上りの階段も、屋敷からは見えない。三人はそこにすわりこんで、息をととのえた。

「さて、これからどうするつもりだ」と、マティは言った。

「思いつくことといったら、線路を引きかえして、いちばん近くの町まで行くことくらいかな。そこでクロウ先生に電報を打とう。バルササーの軍隊がカナダに攻めこもうとしていることを伝えなきゃならない」

「歩くのか。やれやれだな」

「馬があればいいんだけど、盗むわけにもいかない。行軍を開始しようとしているときだから、馬には十分な注意を払っているはずだ」

マティはため息をついた。

「わかった。行こう。歩いているうちに服も乾くだろう」

屋敷から見られることのないよう物陰を伝いながら、三人は動物たちを閉じこめておくための囲いや檻のあいだを進んだ。ほとんどは出払っていたが、それでもいくらかは残っていて、そのときそこで見た動物は、絵でしか見たことのない、夢のなかに出てくるような奇妙なものばかりだった——足と首が極端に長く、皮膚に茶色の大きなまだら模様がついているもの。四角い頭を前に低くたらし、額から二本の角を突きだし、鎧のような頑丈な皮膚をまとっているもの。見た目はブタのようだが、針金のような毛におおわれていて、あごから鋭い牙を生やしているもの。神話に出てくるような動物ばかりだ。

檻や柵の途切れるところまで来ると、シャーロックは周囲を注意深く見まわした。前方には見晴らしのいい平原がどこまでもつづいていて、右手にはバルササーの屋敷が見える。線路は背の高い草に隠されているが、それがあるところは屋敷の位置から推測することができる。どこかに敷地のはずれにめぐらされた柵があるはずだ。それを通りぬけて、線路ぞいを進むと、パーサビランスに出る。たしか、その手前には深い峡谷にかけられた木の橋があったはずだ。

選択の余地はない。

「行こう。のんびりとはしていられない」

三人は野原を横切りはじめた。十分もすると、枕木と線路が見え、さらに三十分ほどで、敷地の境界を示す柵にたどりつき、列車が本線からはずれてバルササーの屋敷に向かったところに出た。

マティはしばらく枕木の上を歩いていたが、その間隔が歩幅よりも大きかったので足が痛くなってきたらしく、何分もしないうちにバージニアとシャーロックといっしょに線路のわきを歩くようになった。

それからさらに三十分ほど行くうちに、柵も屋敷もちらちら光るかげろうの向こうに消えた。目にはいるのは線路と野原しかない。左側のはるかかなたに山影が見えるような気がするが、かげろうのせいではっきりとはわからない。

大きな鳥が上空を旋回していた。マティはワシだと思ったようだが、バージニアはタカだと言った。シャーロックは黙っていた。ワシもタカも知らないので、判断のしようがない。

歩きながら、シャーロックはデューク・バルササーが話した計画のことを何度も何度も考えた。やはり正気の沙汰とは思えない。自分たちがよかれと思う政治体制を維持するために、南軍を復活させて、カナダに攻めこみ、そこに新しい国家をつくろうとしているのだ。奴隷制の是非はともかくとして、たしかに、ひとつのグループが別のグループにみずからの主張を一方的に押しつけるのはどうかと思う。だが、ほかにどうすればいいのか。それぞれが独自の価値基準で動くことを許されたらどうなるのか。隣人が泥棒を悪いことと思わない者だったとしたら？　隣人にブタや羊や馬を盗まれたら？　自分が信じていない道徳律に従わされるのは、やはりある程度しかたのないことだろう。

奇妙なことに、そういったことはすべてサウサンプトンを出るときに兄がくれたプラトンの『国家』に書かれていた。プラトンはそういった問題を二千年もまえに予期していたのだ。それ以降、みんなが満足し、それでうまく機能する社会をつくりあげることはだれにもできていない。

もしかしたら、兄はそういった野心をひそかにいだいているのかもしれない。兄は可能なかぎり理想に近い社会をつくりたいと思っているのかもしれない。

実際のところ、いろいろなことがわかってくるにつれて、兄を尊敬する気持ちは強くなるばかりだ。

歩いているうちに、太陽は少しずつ傾いていき、風にそよぐ草の上に三人の長い影を落としはじめた。それからしばらくして、太陽が地平線のかなたに消えかけたとき、赤く染まった草むらに暗い裂け目が見えたような気がした。それがバルササーの屋敷に向かう途中にわたった峡谷だった。橋は夕日に照らされて、本物ではなく、おもちゃのように見える。

「これをわたらなきゃいけないのか」と、マティが小さな声で言った。

三人は峡谷の手前で立ちどまり、橋を見やった。シャーロックは峡谷の深さを手をふって示した。

「いまから下におり、谷を横切り、それからのぼるなんてことはできないよ」

「つまり、この橋をわたらなきゃいけないってことね。わたしは賛成よ」と、バージニアは言った。

「ここで夜をあかすわけにもいかない。ここにはなにがいるかわからないからね。ピューマとかクマとか……」

「アライグマとか」

「なにがいてもおかしくない。食べものもないしね。ぼくは今朝からなにも食べていない」

「ああ。おれも腹ペコだ。なにかないかな。狩りができたらいいんだけど」

「ぼくたちは狩るほうじゃなく、狩られるほうだよ」

シャーロックは深く息を吸い、それから枕木を伝って峡谷をわたりはじめた。

「汽車が来たらどうするんだ」と、マティが言った。

「だいじょうぶ。夜は走ってないわ。線路にバッファローがいたり、地滑りが起きたりしたら、危険だから。乗客は近くの町で汽車をおり、翌朝までそこのホテルに泊まるのよ」

「だったら、しかたがないな」

マティは橋をわたらなくてすむ口実がほしかったのだろう。

枕木の上を歩くのはたしかに楽ではない。マティより足は長いが、それでも普通の歩幅だと、つぎの枕木に届かない。最後の陽光が照らしているのは山の上のほうだけで、峡谷は闇に沈み、枕木のあいだから見えるのは底なしの暗い空間だけだ。けれども、下ばかり見ていると、自分の足の位置がわからなくなる。二度つまずき、もう少しで枕木から足を踏みはずしそうになった。自分の足の感覚を信じ、しっかり前を見て歩いたほうがいい。枕木と枕木の距離は変わらないので、下を見なくても、普通に大またで歩いていれば問題はないはずだ。

ときどき後ろをふりむくと、赤い太陽を背にしたバージニアとマティのシルエットが見えた。ふたりともだいじょうぶだ。どっちにしても、手を貸すことはできない。先は長いが、なんとかひとりひとりでわたりきるしかない。

しばらく行ったところで、後ろからどさっという物音が聞こえた。立ちどまって、首をまわすと、バージニアが線路の上に腹ばいになって倒れている。顔をあげたとき、そこには疲労の色が濃くにじんでいた。

「ごめん。つまずいたの」

「助けにいきたいけど、ちょっと無理だ。体の向きを変えたら、下に落ちるかもしれない。たとえ、そこまで行けたとしても、しゃがんで、きみを助け起こそうとすれば、やっぱり落ちるかもしれない」

「わかってるわ。だいじょうぶよ」

バージニアの後ろからマティが言った。

「しっかりしろよ、バージニア」

「そうね、しっかりしなきゃね。ありがとう」

バージニアは体を起こし、三人はふたたび歩きはじめた。時間が溶けていくみたいだった。秒も分もあっというまに過ぎ、枕木のあいだが固い地面になっていることに気づいたときには、すでに峡谷のはずれから百メートル近く先に来ていた。

「少し休もう。十分だけ」

シャーロックが言うと、マティはうめき声をあげた。

「おれは寝たいよ」

「兄さんが言ってたことだけど、大事なことや楽しいことをしているときには、何日でも寝ずにいられる」

「町まで行くのはたしかに大事なことだ。でも、楽しいことじゃない。それはまちがいない」

結局、十分間の休憩をとることにしたが、時間の感覚は麻痺していて、立ちあがって歩きはじめたのは、実際のところ三十秒後だったかもしれないし、一時間後だったかもしれない。

三人は線路わきを無言で歩いた。二度、どこか遠くのほうで動物が吠える声が聞こえた。バルササーがピューマにあとを追わせているのではないかと思って、ぞっとしたが、バージニアはおちついてた。

「ココーテよ」

「ココーテって?」と、マティが後ろから聞いた。

「オオカミのようなものよ」

「ふーん。味はどうなんだろう」

「笑わせないで。コヨーテがあんなふうに吠えているのは、あなたと同じことを考えてるってことよ」

　地平線の上に、白い大きな月がのぼった。それはイギリスで見た月よりもずっと大きく見える。アメリカのほうが月に近いということではない。地球は丸いのだ。地球のどこでも月との距離は変わらない。

　しばらくして、シャーロックはマティがひとりごとを言っていることに気づいた。それまではバージニアと話をしているものとばかり思っていたが、彼女はそこから少しはなれたところにいる。マティには、ほかの者には聞こえない声が聞こえるのかもしれない。いわゆる幻聴だ。おそらく疲労と空腹のせいだろう。この数週間、極端に精神的な緊張状態がつづいているということもあるにちがいない。

　自分も同じようなことを経験している。おじとおばの家で家政婦をしているエグランタイン夫人が、すぐ横にいるように思えることがときどきあるのだ。べつに話しかけてくるわけではない。ただ、唇をすぼめ、頭を左右にふりながら、非難がましい視線を投げてよこすだけだ。いつも気がつかないうちにあらわれ、気がつかないうちにいなくなっている。

不思議だ。すぐ横にいる気がしてもおかしくない人物はほかにもいくらでもいるのに、どうしてエグランタイン夫人なのか。どうして兄やクロウ先生ではないのか。心のなかのわだかまりが原因だとすれば、どうして自分のせいで命を落とした者たちでないのか。たとえば、サードとかアイブズとかグリブンズとか。旅の友ということであれば、プラトンのほうがずっとましだ。

空には月が出ていて、遠くのほうに納屋や農家がときおり見えた。進路を変えて、そこに行き、助けを求めてもいい。食べものや飲みものをわけてくれないかと頼むだけでもいい。

だが、そうはしなかった。事情を説明するのに時間がかかるし、へたをすれば別の問題をかかえることにもなりかねない。大事なのは電報を打つことなのだ。電報が打てる郵便局は駅にしかない。

しばらくすると納屋や農家の数が増え、やがて軒を連ねるようになりはじめた。もしかしたら、パーサビランスの町かもしれない。こっちに来る途中、汽車がパーサビランスを出てから町らしい町を通りすぎた記憶はないが、そのときは窓の外の景色をながめているどころではなかった。ここが駅も郵便局もない別の町である可能性はある。その場合にでも、立ち寄って損はしない。お金を払えば、パーサビランスまで連れていってくれる者が見つかるかもしれない。

また少し歩くと、地平線に赤みがさしはじめた。日がのぼりはじめたのだ。一晩じゅう歩きつづけたということか。筋肉のこわばりや喉の乾き具合からして、そうだとしても少しもおかしくない。

だが、これもやはり幻覚かもしれない。

線路はこれまで何時間もまっすぐだったが、ここでとつぜんカーブしていて、そこをまがると、町がひろがっているのが見えた。前方には、列車がきのう一時停車したときに見た駅舎とトイレがある。パーサビランスだ。やっと着いた。

駅の待避線に、列車がとまっていた。きのうの列車より短いし、無人で、車内は暗い。プラットホームにも、だれもいない。

郵便局には鍵がかかっていた。なかで職員が眠っているかもしれないと思って、ドアをたたいてみたが、返事はなかった。空は明るくなりかけているが、町はまだ眠っている。

「しかたがない。ホテルを見つけて、そこでなにか食べよう。郵便局はすぐには開かない」

喉がからからに乾いているので、声を出すのは一苦労だった。

「腹がへったよ。それに眠い」

マティの声もかすれている。

バージニアはただうなずいただけだった。顔面は蒼白で、そばかすがインクのように際立って見える。そろそろ体力の限界に近づきつつあるようだ。

ホテルは駅の前の道をわたったところにあった。道は未舗装で、乾いた土に荷馬車のわだちが無数に残っている。奇妙なことに、草むらより歩きにくい感じがする。

ホテルは閉まっていなかった。三人にとっては、このところ久しくなかった幸運だった。そして、さらに幸運なことに、そこのロビーのまんなかのテーブルには、地図をひろげて見ているエイミアス・クロウの姿があった。

三人がはいっていくと、クロウは顔をあげた。同時に複数の人間を見たせいか、その顔には複数の感情がないまぜになっていた。

バージニアは父親に駆けより、両手で抱きついた。マティは椅子にすわって、目をつむった。

「ぼくたちを追ってきたんですね」と、シャーロックは言った。

なんの感情もこもっていないような声だった。一晩じゅう歩きつづけたせいで、感情が枯渇してしまったのかもしれない。感じるのは疲労困憊しているということだけだ。

「そう。新聞売りの少年たちから話を聞いたんだ。彼らは町で起こったことをなんでも知っている。きみは追いかけられていた。でも、ハンチング帽と新聞で相手の目をくらまし、逆にあとをつけはじめたという話だった。ホテルできみを見かけたという少年もいたし、駅できみとバージニアを見かけたという少年もいた。それから先のことを推理するのはそんなにむずかしいことじゃない」

　クロウは努めて穏やかな口調で話し、それから深く息を吸った。

「きみがここに来た経緯はおおよそ理解できているつもりだ。それが偶然の結果でなかったら、きみをいますぐイギリスへ送りかえし、二度と同じ陸地に立たせないようにしていただろう。きみがわたしの手のおよばないところに行ってしまったのは、小さな偶然が重なった結果だ」

「そうです。わざとしたことじゃありません。そんなつもりはまったくありませんでした」

「本当よ。わたしたちはマティをさらった男たちを追ってたの。そうしたら、汽車がとつぜん動きだして、おりることができなくなったのよ」

　父の胸に顔をうずめていたバージニアの声は低くくぐもっていた。

　マティが目を閉じたまま付け加えた。

「おれが助かったのは、ふたりのおかげだよ」

「わかってる。まあいい。きみたちには食事と休息が必要だ。食事をしながら、話を聞かせてもらおう」

クロウは言って、部屋の奥のドアのほうに頭を向けた。

「ディモックさん、朝食を四人分用意してくれないか。オレンジ・ジュースとコーヒーはできるだけ多く」

それから、クロウはシャーロックとマティの顔を見て、言いなおした。

「いや、八人分にしてくれ。みんな腹ペコなんだ」

それからの一時間はあっというまに過ぎた。三人がそれまでにあったことを話しはじめたと同時に食べものが来て、話しおえるころには、口のなかはハムやフライドポテトや卵やジュースでいっぱいになっていた。

シャーロックは話をこうしめくくった。

「連中は兵士を集めて、カナダに攻めこもうとしています。カナダに新しい国をつくろうとしているんです」

クロウはうなずいた。

「ピンカートン社が集めた情報とほぼ同じだ。デューク・バルササーという男には以前から目をつけていたらしい。でも、兵士の士気を鼓舞し、新しい国家の正当性を主張するためにジョン・ウィルクス・ブースを利用しようとしているという話は、いまはじめて聞いた。バルサザーがいままでなりをひそめていたわけが、これでよくわかった」

「それで、どうするつもりなんです。ほうっておくわけにはいかないはずです。ほうっておけば、アメリカとイギリスの関係はこれから何十年も修復できないくらい悪くなります」

「だいじょうぶだよ。とっておきの対抗策が用意されている。わたし自身はあまりいい案だと思っていないが、陸軍長官のスタントンはもうすでにゴーサインを出している。一個人がとやかく言える問題じゃない」

「攻撃をかけるってことだね」と、マティが口のなかをフライドポテトでいっぱいにしたまま言った。

「政府軍は国境の手前に陣地を築きつつある。だが、その一方でもうひとつの軍事作戦を用意しているんだ。できることなら白兵戦は避けたいということだろう」

クロウはため息をつき、目をそらし、ホテルの正面玄関のほうを向いた。

「内戦時、スタントン長官はしばしば偵察のために気球を使った。これからの戦争で、気球は最強の兵器になると考えているらしくてね。今回は陸軍工兵隊に命じて、持っているすべての気球を実戦配備した。日が落ちてから、バルサザーの野営地に気球を飛ばして、爆弾(ばくだん)を落とすつもりでいる」

「でも……でも、それでは大勢のひとが死にます。たしかに彼(かれ)らはほかの国に攻(せ)めこもうとしている。でも、そこに爆弾(ばくだん)を落とすなんて……降参する機会も与(あた)えないんですか」

クロウはうなずいた。

「それではスタントン長官のメッセージが伝わらない。戦争はおわり、北軍は勝利した。連合国を復活させようという試みは圧倒的(あっとうてき)な力で押(お)しつぶされる。そういったことをみんなに知らせなきゃならない」

「でも、数百、いや、数千という人間が死ぬんですよ。戦って死ぬんじゃない。空から降ってくる爆弾(ばくだん)で、みんな一瞬(いっしゅん)のうちに死ぬんです。そんなことは許されるべきじゃありません」

「そうかもしれない。でも、しかたがない。それが政治というものだよ、シャーロック」

16

その夜の夢には、空から落ちてくる炎と、黒こげになって逃げまどう人影の悲鳴が満ちていた。数時間で目が覚めた。疲れはとれていないが、もうこれ以上は眠れそうにない。

そこは駅前のホテルの一室だった。駅の待避線にとまっていた列車が空だったので、ホテルは乗客でいっぱいだろうと思っていたが、そうではなかった。実際のところは、エイミアス・クロウとピンカートン社から派遣された男たちの一団が列車をチャーターしていたのだ。

シャーロックはベッドに横になったまま何度も同じことを考えつづけた。これからなにが起きようとしているのか。バルササーの配下の者がみな悪党というわけではない。どんなふうに国を統治すべきかという点について、考え方がちがっているだけだ。他国への侵攻はたしかにまちがっている。が、だからといって、彼らをアリのように簡単に殺していいということにはならない。

兄も同じように考えるはずだ。それはまちがいない。立場的にはイギリス政府という機械の歯車のひとつにすぎないが、兄には信念と道徳がある。それは自分が父から受けついだものでもある。ふたりともサイガー・ホームズ竜騎兵連隊少佐の息子なのだ。どちらも、青い目と同じように同じ価値観を受けついでいる。

なんとかしなければならない。でも、どうやって？　どうすれば工兵隊の気球攻撃をとめることができるのか。

兄に電報を打ったらどうか。イギリスまでの電報代がいくらかかるかはわからない。そんなに安くはないはずだが、お金はまだ残っている。兄に連絡をとれば、アメリカ大使に連絡をとるかなにかして、作戦を中止するよう要請してくれるかもしれない。

いや、それはどうか。兄にそこまでの権限があるかどうかわからない。さらには、間にあうかどうかもわからない。なにしろ何千マイルも離れているのだ。それに、外務省の上司たちにとっては、顔も知らない人々の命を救うよりイギリス領がおかされるのを防ぐほうが大事にちがいない。

とにかく、ここを出て、工兵隊の陣地へ行かなければならない。そこでなにができるかわからないが、ここでじっとしているわけにはいかない。現地に行ったら、なにか思いつくかもしれない。

でも、どうやって行けばいいのか。

馬は町で借りることができる。それに乗っていけばいい。エイミアス・クロウがさっき見ていた地図には印がついていた。それが気球を飛ばす準備をしているところだろう。覚えようとしたわけではないが、見たり読んだりしたことは、たいてい無意識のうちに記憶に刻みこまれている。

マティとバージニアを連れていくべきだろうか。いっしょだと心強いが、今回はひとりで行ったほうがいい。これは彼らの問題ではない。無理に引っぱりこむのはよくない。

シャーロックは起きあがると、クロウが町で買ってきてくれた新しい服に着かえた。新しいものなので、肌がちくちくしたが、ここ数日間着ていたものをまた着る気にはなれない。

クロウはダイニング・ルームでスーツ姿のふたりの男と話をしていた。ピンカートン社の人間のようで、腰の低い位置に巻いたベルトに拳銃がさしこまれている。話に夢中で、三人とも通りのほうを向いていたので、顔を見られることなくこっそり外に出るのは簡単だった。

通りの片側に設けられた板敷きの歩道は、歩行者や立ち話をしている人々で混雑していた。そこをぶらぶらと歩いていると、しばらく行ったところで馬小屋が見つかったので、なかにはいった。

「なにか用かい」

ふりむくと、年とった男が暗がりから出てきた。頭には後ろのほうに白い髪が少し残っているだけで、口もとには白いもじゃもじゃのひげをはやしている。

「きょう一日、馬を借りたいんです」

「ちょうどいい。しばらく運動させていない馬がいるんだ。おたがいに悪い話じゃない」

「いくらです?」

「十ドルあずかっておいて、もどってきたら九ドルかえすってのはどうだい」

金をわたすと、老人は茶色い馬のところへ行って、鞍をつけはじめた。そのあいだ、馬は思案顔でシャーロックをじっと見つめていた。

小屋のなかを見まわすと、鞍や手綱やあぶみといった馬具のほかにも、いろいろなものが留め金にかかっている。弓とか、槍とか、斧とか。武器のようだが、羽根や皮の縁飾りがついている。

老人はシャーロックの視線をとらえて言った。

「先住民との戦いの記念だよ。この町をつくるときに、パマンキー族やマッタポナイ族とずいぶんやりあってな。やつらはわしらの頭の皮を集め、わしのじいさんとおやじはやつらの斧（おの）や槍（やり）や弓やナイフを集めた」

シャーロックはこれから行こうとしているところのことを考えた――敵対的な軍隊、攻撃（こうげき）の準備を整えている工兵隊、コヨーテがうろつく原野。拳銃（けんじゅう）を持っていきたくはないし、持たせてくれる者もいない。が、武器はあったほうがいい。

「もう一ドルで、弓矢とナイフを借してもらえませんか」

老人は首を横に傾（かたむ）けた。

「だめだね。五ドルはもらわなきゃ」

十分後、シャーロックはナイフをベルトにさし、矢筒（やづつ）を背中にかけ、弓を鞍（くら）にくくりつけて馬小屋をあとにした。ホテルの前を通りすぎたとき、マティとバージニアの姿が見えたような気がしたが、一瞬（いっしゅん）のことではっきりとはわからなかったし、立ちどまるつもりもなかった。

エイミアス・クロウが見ていた地図を頭に浮（う）かべながら、線路と直角に交差する道を進むと、まわりの景色が少しずつ変わりはじめた。汽車が走っていた平地は坂道になり、草むらの向こうには、なだらかな山の裾野（すその）がひろがるようになっていた。

一時間ほど潅木（かんぼく）や雑木林のあいだを走ったあと、きらきら光りながら山から流れている広くて浅い川に出くわした。馬のひづめが水を跳（は）ねあげ、小石を蹴（け）る。この川の下流のほうで、水が柔らかい岩を削って、昨夜マティとバージニアといっしょにわたった峡谷をつくったにちがいない。アメリカの地形は若くて、荒々しい。イギリスの地形とはずいぶんちがう。

そのとき、馬小屋にあった革の水筒を持ってきたことを思いだしたので、そこに水をいれ、馬にも飲ませるために一休みすることにした。

太陽の傾き具合からすると、時間は午後三時くらいで、記憶にある地図からすると、工兵隊の陣地はここからそんなに遠くないところにある。ということは、どこかに見張りの兵士が立っていてもおかしくはない。出くわしたら、スパイとまちがわれて、問答無用で撃ち殺されることだって考えられる。

それで裾野を進むかわりに、手綱を引いて馬の向きを変え、斜面をのぼることにした。ここが自分の考えているとおりの場所だとすれば、高いところに行けば、野営地を見おろすことができるはずだ。

二時間かけてなだらかな坂をのぼったり、平らな岩場を進んだりして、斜面が急勾配になる手前まで行くと、思ったとおり眼下に野営地が見えた。

馬を見えないところに隠してから、四つんばいになって進む。しばらく行ったところで、大きな岩の後ろに身をひそめ、そこから平地を見おろす。

日は地平線に向かいつつあり、その赤い光の下に、いくつかの焚き火の炎が見える。野営地の、中央には数多くのテントが張られていて、その周囲は広い空き地になっている。そこで百人ほどの男たちが忙しそうに立ち働いている。野営地の片側には柵があり、そこに馬が集められている。もう一方の側には気球がある。

シャーロックは息をのんだ。ラグビー競技場ほどの広さの空き地に、十数個の気球がならんでいる。小さなころ海で見たクラゲを大きくしたような、しなびてブヨブヨのものもあれば、ぱんぱんにふくらんで、夕日に照り輝いているものもある。スコティア号でツェッペリン伯爵が言っていたように、丸い枠にニスを塗ったシルクをはってつくったものだろう。その下には、かごのようなものがとりつけられている。いくつかの気球は、台車の上に置かれたタンクからのびた管から水素を送りこまれている。

もしかしたら、このなかにツェッペリン伯爵がいるかもしれない。船のなかで、アメリカへ行くのは気球の軍事利用の手伝いをするためだと言っていた。だとすれば、ここに来ていたとしても、少しも不思議ではない。

人影は小さすぎて、顔を見分けるのはむずかしいが、気球のそばに立っている一団のなかに、ひとりだけ別の軍服を着たひげづらの男がいる。それがツェッペリン伯爵かもしれない。ふくらんでいく気球をじっと見つめている。

火は気球から少しはなれたところで燃えている。当然だろう。水素がひじょうに引火しやすいということは学校で教わった。

野営地の片隅（かたすみ）には、金属製の丸い玉が何百個も積みあげられている。それが爆弾（ばくだん）だろう。風向きが変わらなければ、一時間か二時間のうちに、気球は操縦者を乗せて飛びたち、無人の大地を静かに横断して、デューク・バルササーの軍隊の野営地へ行く。そのあとにはぞっとするような殺戮（さつりく）と破壊（はかい）のかぎりがつくされる。

とめなければならない。なんとしても。大勢のひとが死ぬのを黙（だま）って見ていることはできない。とめることができるなら、なんとかしてとめなければならない。

引火性の水素――答えはここにある。だが、どうすればいいのか。忍（しの）びこんで、気球に火をつけようとすれば、撃（う）ち殺される。気球の周囲には何人もの衛兵が立っている。けれども、焚（た）き火のまわりに兵士の姿はない。テントの前にある杭（くい）には、オイルランプがかかっている。

そこから頭がめまぐるしく回転しはじめた。

個々別々（ここべつべつ）にあったものがひとつひとつ関連づけられていく。解決策は目の前にある。必要なもののいくつかはもうすでに手に持っている。残りのものは野営地にある。はじめるのが早ければ、おわるのもそれだけ早くなる。

シャーロックは馬の手綱のはしが岩の下にはさまっていることを確認してから、斜面をゆっくりおりていった。日の光は地平線の上にかすかに残っているだけで、岩の影は黒く、長い。斜面にいるかぎり、見つかるおそれはない。だが、下におりると、身を隠すことができる場所はなくなる。平地をいっきに突っきらなければならない。

平地に着くまでに、太陽は地平線の下に隠れ、空は黒ずんだあざのような色になっていた。気球に水素を詰める作業はほとんどおわっている。周囲の動きは以前にも増してあわただしい。

その気球のほうへではなく、焚き火があるところへ向かう。

工兵隊の兵士の多くは、衛兵の輪の向こう側に立って、飛びたつ直前の気球を見つめている。

テントのあいだを這い進んで、焚き火が見えるところまで行く。

肉が焼け、シチューが煮えている。見ている者はいない。

周囲を見まわし、立ちあがる。服についた土を払い落とし、テントの前の杭からオイルランプをとりはずす。ふたつめのオイルランプは、となりのテントからだと目立つので、少しはなれたところからとる。呼びとめる者も、見とがめる者もいない。心臓はいつもの倍の速さで動いているが、いまのところ冷静さを保つことはできている。

明かりが動いているのを見られないよう、オイルランプを上着でおおって、ゆっくりあともどりしはじめる。

テントからはなれると、歩く速度をあげて山裾へ向かう。歩きながらふりむいたときには、すべての気球が大きくふくらんでいた。操縦士は地図を見ながら攻撃の最終点検をしている。

急いで斜面をのぼる。

気をつけないと、転んだら、火だるまになる。自分はいま火と油を運んでいるのだ。日が沈み、風は強くなってきている。上着なしでは寒いくらいだ。

もとのところにもどると、馬は喜んで小さな声でいなないた。オイルランプを地面に置くと、馬のところへ行って、馬小屋の主人から借りてきた弓と矢筒を手にとる。

矢が宙を飛んでいるあいだに火が消えてしまわないように細工をする必要がある。たとえば油を綿にしみこませるとか。

野営地から軍服かなにかを持ってくればよかった。まわりを見まわしたが、使えるものは自分の服しかない。ジャケットを細長く引きちぎって、矢じりに巻きつける。利用できるものはなんでも利用しなければならない。

十本の矢じりに布を巻きつけると、オイルランプを置いた場所にもどる。そこで片方のオイルランプの火を消し、ガラスの筒をはずして、布を巻いた矢じりをひとつひとつ油につけていく。

もうひとつのオイルランプの筒も同じようにはずす。むきだしになった火は、風にゆらゆら揺れている。

弓をとり、体を起こす。空はすっかり暗くなっているので、見られるおそれはない。火がついたオイルランプは岩陰に隠れている。

ためしに弓をかまえてみる。扱い方は簡単だ。矢の根もとの切れこみを弦にひっかけると、左手で弓を持ち、右手で弦を後ろへ引っぱる。そして、できるだけ弓をしならせる。あとは、ねらいをつけて、弦をはなすだけでいい。

やらなきゃ。時間はない。

矢じりをオイルランプの火に近づける。油のしみこんだ布に火がつくと、矢の根もとの切れこみを弦にひっかけ、弓を持った左手を前に突きだす。そして、弦を思いきり引っぱる。

矢は放物線を描いて飛ぶので、その分を計算にいれて、やや上向きにかまえる必要がある。

弦が右手の指に食いこむ。弓がたわんで、震えている。矢の先で燃える炎がまぶしい。

こんなことして本当にいいのだろうか。

なにをいまさら。

弦をはなす。矢は弧を描いて高く飛び、その頂点で一瞬とまったような感じになり、それから小さな流れ星のように気球のてっぺんに向かって落ちていった。

心臓が何度か鼓動するあいだ、なにも起こらなかった。遅い。炎が消えてしまったのだろうか。矢じりが気球を突き破れなかったのだろうか。いや、もしかしたら、気球のなかの気体が引火性のものではなかったのかもしれない。

とそのとき、気球のてっぺんが花びらのようにめくれあがり、つぎの瞬間には、そこから空に向かって巨大な火柱がふきあがった。

野営地は上を下への大混乱になった。兵士たちは走りまわり、上から落ちてくる火のかたまりにバケツの水をかけてまわりはじめた。

火柱はなおも高くあがっていく。水素は空気より軽いのだから、当然のことだ。

二本めの矢をとり、火をつけ、別の気球にねらいをつけて、放つ。

矢じりの小さな炎は暗い空に明るい放物線を描いて飛び、別の気球の側面に突き刺さった。このときは気球がめくれあがるのは見えなかったが、火の勢いは最初のときと同じようにすさまじかった。

野営地の混乱を尻目に、シャーロックは残りの気球に向けてつぎつぎに矢を放っていった。

矢を射つくしたときには、空は煙に包まれ、地上には黒こげになったシルクの切れはしが散乱していた。どうやら怪我人はいないみたいだった。自分でも意外だったが、だれも傷ついていない。混乱と恐怖に右往左往しているだけで、だれも地面にうずくまってはいない。水素の炎は空へふきあがり、地上に落ちてくるのは気球の残骸だけなので、よけるのはそんなにむずかしくなかったのだろう。

シャーロックは深く息をついた。今夜、気球が飛ぶことはない。これだけの数の気球をふたたび用意するには何日もかかる。ことによったら、何週間もかかるかもしれない。それまでに、バルササーの軍隊はちりぢりばらばらになるだろう。たとえ、カナダに攻めこもうとしても、途中で政府軍に阻止されるのはまちがいない。これでいい。

ひとつだけ気がかりなことがある。野営地の片側に積みあげられている爆弾だ。その上に火のかたまりが落ちて、爆発し、多くの死傷者が出るのではないかと心配していたが、爆弾はすべて無傷のまま残っている。思ったより火がつきにくかったのかもしれないし、距離がはなれすぎていて、そこには火が落ちなかったのかもしれない。もう一度下におりていって、なんとかできないだろうか。たとえば、導火線を引きぬくとか。でも、なんのために？　運ぶ手段がなければ、爆弾は使いものにならない。

下から叫び声が聞こえた。野営地のほうに目をやると、ひとりの男がこっちを指している。燃える水素の光のせいで、見つかってしまったのだ。顔をあげて見る者の数はどんどん増えていく。数人が斜面に向かって走りだした。みな拳銃を持っている。

まずい。手には弓を持ったままだ。

逃げよう。

ふりかえって、馬をつないでいるところへかけもどる。馬はおびえて、おどおどし、後ろにさがろうとしていたらしく、手綱がぴんと張っていた。だが、あばれまわってはいない。

岩の下から手綱の先をとって、すばやく鞍にまたがる。

うまく町までもどることができたら、なにもなかったようなふりをしていればいい。だれにもなにも言う必要はない。

馬の頭をまわして、すぐに走りだす。

下りは上りよりずっと楽だった。馬の足どりはたしかで、火と煙から遠ざかれることを喜んでいるようだった。

日は完全に沈んでいたが、馬は星明かりで地面が見えるようだったので、どこをどんなふうに行くかはすべて馬にまかせることにした。それでたぶんだいじょうぶだろう。町へもどる道を見つけるのは、平地に出てからでいい。

山裾のなだらかな斜面を馬に揺られながらゆっくりおりているうちに、うとうとしかけた。緊張の糸が切れたせいか、なんとなくむなしく、気がめいってならなかった。パーサビランスまでの道のりは長く、憂鬱なものになりそうだった。

頭にふと不安がよぎった。政府軍が南軍の残党の進攻を食いとめられなかったら、どうなるのか。結果的に、南軍の残党の手助けをすることになってしまったら、どうなるのか。いや、そんなことにはならない。クロウ先生の話だと、気球による攻撃はスタントン長官の独断によるもので、政府軍は国境の手前にもうすでに陣地を築きつつあるとのことだった。よほどのことがないかぎり、外交的な問題にはならないはずだ。結果的に、これで大勢のひとの命が救われたのだ。

闇のどこかから、動物が吠える声が聞こえた。シャーロックはぎょっとした。人間の叫び声に似ている。コヨーテではない。ネコ科の動物のようだ。

馬は険しい峡谷の底を歩いていた。もう山のふもとまで来ていて、あと少しで平地に出るはずだった。峡谷の両わきには黒い絶壁がそそり立っている。その上端はギザギザになっていて、空に輝く星によって夜の空から切りとられている。

そのギザギザのひとつが動いた。

それで急に目が覚めた。岩と思っていたものがとつぜん横に動き、すぐまた元のところにもどったのだ。

なにかがそこにいる。なにかにねらわれている。

シャーロックは神経をとぎすまして周囲を見まわした。なにもいない。暗闇以外には、星明かりに浮かぶ鋭い絶壁のシルエットが見えるだけだ。

絶壁の上から小石が転がり落ちてきて、峡谷の底で跳ねた。

馬も周囲を見まわしている。やはり近くになにかがいることに気づいているらしく、耳をそばだて、筋肉をこわばらせている。

峡谷は前方で広がり、平らな岩場になっている。その先には崖があり、その向こうに草地がひろがっている。草地には月の光が空の低いところからスポットライトのようにあたっている。

その場所には見覚えがあった。来るときにそこを馬でのぼってきたのだ。前方の崖の片側には道がついていて、そこから草地におりられるようになっている。

また小石が落ちてきて、岩から岩へと跳ね飛んだ。馬は絶壁の片側に寄って、速度をあげた。早くこの峡谷から出たくてしかたがないようだ。

頭上でまた動物が吠(ほ)える音が聞こえ、闇(やみ)のなかからなにかが飛びおりてきた。

17

馬が驚(おどろ)いて横へ飛びのいてくれたおかげで、命拾いした。

上から飛びおりてきたものは、バランスをくずしてよろけたが、四本の足でなんとか踏(ふ)んばり、すぐに体勢を立てなおした。鋭(するど)いかぎ爪(づめ)、月の光を反射させて光る目、よだれをたらしている牙(きば)。だが、それがなにかはわからない。

とにかくベルトからナイフをぬいて、体の前でかまえた。それがどれだけ役に立つかはわからないが、ないよりはましだ。

前のほうから聞き覚えのある意味不明の言葉が聞こえ、動物は不満そうなうなり声をあげながら声のほうへ向かっていった。

それでわかった。ピューマだ。ということは、もう一頭も近くにいるということだ。そして、デューク・バルササーもここに来ているということだ。

馬はショックで呆然(ぼうぜん)としていた。目を大きく見開き、歯をむきだしている。ピューマが近くにいるかぎり、一歩も動くつもりはないようだ。

シャーロックは馬からおりた。胸の鼓動は早鐘のように鳴りひびいている。体はくたくたで、空腹で、喉もかわいている。よりにもよってこんなときに。こんなところで。

だが、選択の余地はない。

シャーロックは前に歩きだし、月の光に照らされた平らな岩場へ出た。

数メートルはなれたところに、デューク・バルササーが立っていた。やはり白いスーツに白い帽子、陶製の白い仮面というかっこうだが、このときは太腿のストラップに拳銃がはいっていた。右耳の後ろで赤いヒルが鈍く光っている。全体のなかで色があるのはそこだけだ。よく見ると、小さく脈打っている。

バルササーの近くで、ピューマはおちつかなげにしっぽを動かしながら、赤いヒルをちらちらと見ている。いらだち、おびえているように見える。もう一頭のピューマの姿はない。

「われわれはシェイクスピアの不運な恋人たちのように何度も出会う運命を背負っているようだな、シャーロック・スコット・ホームズ」

バルササーのかぼそい声は風になかばかき消されそうになっている。

「ここでなにをしているんです」と、シャーロックは聞いた。

「きみをさがしていたんだよ。きみたちが逃げたことはすぐにわかった。わたしのかわいいトカゲたちはまだ腹をすかせているようだったし、地下室は水びたしになっていたからね。わたしのピューマが町の外できみのにおいをかぎつけた。それで、ここまで追ってきたんだ」

バルササーは一呼吸おき、首を横に傾けた。

「きみは町に向かうと思っていたんだがね。なのに、こんなところにいる。どういうことだね」

シャーロックは考えた。ピューマがかいだにおいはふたつあった。ひとつはマティとバージニアといっしょにパーサビランスに向かったときのもので、もうひとつはひとりで馬に乗って町から出たときのものだ。バルササーは自分の計画が政府当局に知られているとは思っていない。そのことをここで話すべきだろうか。

野営地の場所まで知られていて、いまからだともうなにもできないということがわかれば、あきらめもつくだろう。少なくとも論理的には。

「政府当局はあなたたちのカナダ侵攻の計画を知っています。軍隊を進めても意味はありません。計画を中止してください。あなたは多くの命を救うことができます」

沈黙があった。バルササーは思案をめぐらせているようだが、白い仮面の後ろでなにを考えているのかを知るすべはない。

「いつから知っていたんだ」

「ずっとまえからです。あなたの軍隊は国境にたどりつくことさえできないでしょう」

「それなら、きみはここでなにをしている」

「政府軍はあなたの軍隊の野営地に爆弾を落とす準備をしていました。それをほうっておくことはできませんでした。なんとかしてとめなければなりませんでした」

「的はずれの正義感によるものだな。われわれの主張に賛同したからではなくて」

「これ以上ひとが死ぬのを見たくなかったんです」

バルササーは首をふった。

「わたしが喜ぶと思っているのか」

その声は怒りのために上ずっていた。シャーロックは鉛のおもりを背負ったような疲労を感じた。

「そんなふうには思っていません。ぼくがしたことはあなたのためでも、ほかのだれのためでもありません。自分自身のためです。自分が信じるもののためです」

「だったら、きみは時間をむだにしたことになる。わたしの軍隊は予定どおりカナダへ向かう。たとえきみが話したとおりだったとしても」

「あなたの軍隊は政府軍に包囲されます。降伏しなければ、戦いになります」

「その結果、大勢の死傷者が出る。きみの努力が報われることはない」

「ぼくは世界を意のままにできると思っていません。自分にできることはかぎられています。でも、多くのひとが命を落とすのをふせぐために、できるだけのことはしました。あとのことはあなたや政府が決めればいい」

「きみの問題点は、感情が論理のさまたげになっているということだ。ひとつ忠告しておく。きみ自身のためにも、感情はできるだけおさえたほうがいい。できれば、排除したほうがいい。感情はひとをまどわせ、傷つけるだけだ」

陶製の仮面は無表情のまま月の光を反射させていたが、その口調は辛辣だった。

シャーロックは自分の感情がどんなものであるのか理解するために、親しい者の顔を頭に思い描いた。母や姉のことを考えると、悲しくなる。だが、バージニアのことを考えると、幸せな気分になる。

「ご忠告に感謝します。でも、ぼくは自分の感情を大事にするつもりです。ぼくは自分の感情がきらいじゃありません。いいものも、そうでないものも」

「一生、後悔することになるぞ。短い一生ではあるがね」

バルササーは指を鳴らした。そのそばにいたピューマが牙をむきだし、目を細めて、ゆっくりと歩を進めはじめた。

シャーロックはナイフを前に突きだした。刃が月の光を反射してきらきら輝いている。

ピューマはためらうこともなく近づいてくる。

後ろから物音が聞こえた。シャーロックはゆっくり首をまわした。

もう一頭のピューマがいる。

どう考えても、助かる見こみはない。ナイフだけで二頭のピューマと闘えるわけがない。

ただ、この二頭は本当の野性とはいえない。ある意味で飼いならされている。少なくともバルササーの言うことはきく。バルササーをおそれているからだ。それを利用できないだろうか。

背後のピューマがとつぜん走りだした。シャーロックは地面に突っぷして横に転がった。黒いものが頭の上を飛びこえていく。

シャーロックはすぐに立ちあがったが、ピューマのほうが動きはすばやい。二頭はもうすでにならんで牙をむきだしている。

ネコは木をのぼれる。だが、絶壁をのぼることはできない。

シャーロックは峡谷の切り立った斜面をすばやく這いのぼった。指で岩のすきまをさがし、足で体重を支えてくれる岩のでっぱりをさぐる。

下では二頭のピューマが跳びはねている。

岩の平らなところに指をかけて、けんめいに体を持ちあげたとき、一頭のピューマのかぎ爪がブーツをえぐった。全力をふりしぼって一気に体を引きあげると、大きな岩棚の上に出た。

足を見ると、ブーツのかかとが引きちぎられているだけで、あとは無事だった。

岩棚の下をのぞきこむと、ピューマの光る目がなくなっていた。岩棚へのぼってくる道をさがしにいったのだろう。ここは動物たちのテリトリーだ。きっと道を見つけだす。

バルササーの声が聞こえた。

「見ていておもしろいが、きみは運命を先のばしにしているだけだ。論理的な行動じゃない。運命を受けいれろ。そのほうが簡単で、痛みも少ない」

「さっきもそんなことを言っていた。でも、それはうそだった」

岩棚は体の幅ほどしかない。もう少し広いところに出ようと思って歩きだしたとき、横のほうから、岩にかぎ爪があたる音がして、乾いた息づかいが峡谷にひびきわたった。

このままだと殺される。なんとかしなければならない。

峡谷の壁に寄りかかって、下を見ると、バルササーの白い帽子が見えた。

バルササーとピューマの関係が推測どおりであることを祈るしかない。

シャーロックは岩棚から飛びおり、バルササーに体をぶつけた。

バルササーは地面に倒れ、拳銃は闇のなかに落ちた。シャーロックも地面に倒れ、そのときに左肩を岩に強打した。火が出るような鋭い痛みが全身に走る。

立ちあがるのはバルササーのほうが早かった。右手で左腕を押さえている。どこかの骨を折ったらしく、左腕は不自然な方向を向いている。

陶製の仮面は顔からとれ、三つに割れて、地面に転がっていた。バルササーの顔はすさまじい怒りにゆがんでいる。

「南部人の寛大さもここまでだ。きみは生きたままわたしのペットに肉を食いちぎられ、悲鳴をあげながら死んでいくことになる」

バルササーの顔にこびりついた小さなヒルは、背後の暗い夜空まで貫通している黒い穴のように見える。

バルササーはシャーロックの背中の向こうに目をやった。

「よろしい。どうやら来てくれたようだ」

そして、いつも動物に話しかけるときに使う意味不明の外国語を口にした。

このままだと、まちがいなくピューマに背中に飛びかかられ、かぎ爪で肉を引き裂かれる。シャーロックは前に進みでて、バルササーのほうに向かっていった。

バルササーは意表をつかれたようで、右手で左腕を押さえたまま後ろにさがった。

シャーロックは痛めた左手をのばして、バルササーの耳の後ろから赤いヒルを引きはがした。白いスーツの肩に血がこぼれおちる。月明かりの下で、血はどす黒くよどんで見える。

バルササーは怒りとショックがまじった甲高い悲鳴をあげた。

大きな赤いヒルはシャーロックの手のなかで湿った体をくねらせている。

バルササーに手出しをされたりピューマに飛びかかられたりするまえに、シャーロックはすばやくナイフをとりだして、ヒルをまっぷたつに切った。

ヒルは血をしたたらせながら身もだえしている。

シャーロックは後ろを向くと、ふたつになったヒルをそれぞれの手に持って、近づいてくる二頭のピューマに向けて放り投げた。

バルササーの屋敷のベランダで見たピューマの反応からすると、おびえて逃げだすにちがいないと思っていたが、意外にもそうはならなかった。ごほうびになにかを投げ与えられたみたいに、ピューマは口をあけ、ヒルを空中でくわえて、丸ごと飲みこんだ。

そして、さらに前に進みでた。

シャーロックのほうにではない。その目はバルササーに固定されている。

シャーロックはゆっくりと体をよけた。

ピューマはシャーロックを無視して、バルササーのほうに向かっていく。

不思議なことだ。これまでピューマを手なずけていた男は、傷を負い、弱っている。ピューマをおびえさせていたヒルももういない。バルササーは支配力を失った。いまはピューマのほうが上に立っている。バルササーにはなにもできない。

バルササーはあとずさった。そこは岩場のはずれで、その後ろは崖になっている。また意味不明の言葉を発したが、ピューマはそれを無視した。

シャーロックはその様子をじっと見ていた。口はからからに乾き、胸は激しく鼓動を打っている。

バルササーはまたもう一歩あとずさった。手はピューマを押しとどめるように前にさしだされているが、右足はすでに岩場の向こうに出ていた。

バルササーは悲鳴をあげながら闇の底へ落ちていった。

ピューマはしばらくのあいだ崖の下をじっと見つめていた。それから、おたがいに目を見あわせることも、シャーロックのほうを向くこともなく、山のなかへ静かにはいっていった。

シャーロックはその場に立ちつくし、息を整えながら、肩の痛みがやわらぐのを待った。

さいわいなことに、骨は折れていない。それだけでも、もうけものだ。

ピューマはもどってこない。

シャーロックは馬のところへ行って、横腹をなでてやり、それで震えがとまると、鞍にまたがって、崖の横の斜面をおりはじめた。

崖の下で、バルササーの死体が見つかった。身をよじらせて草の上に横たわっている。ヒルはもういない。血管に血液が流れなくなると同時に、別の獲物をさがしにいったのだろう。

馬に乗って町へ帰る途中、どうやら眠ってしまったみたいだった。気がついたときには、馬は町の近くまで来ていて、地平線上はほんのり白みはじめていた。

シャーロックは馬小屋の外に馬をつないで、ホテルへもどった。あずけた金はあとで受けとりにいけばいい。

ホテルのロビーにはだれもいなかったので、まっすぐ部屋へ向かった。途中、何者かに襲いかかられたりすることもなければ、なにかに肩に飛びかかられたりすることもなかった。なにもかもが平穏で、どこまでも静かだった。

部屋にはいると、すぐにベッドに横になった。まるでなにも起きなかったかのようだ。知らない者が観たら、マティとバージニアといっしょにバルササーの屋敷から逃げだし、クロウ先生に連れられてここに来てから、一度も部屋を出ていないと思うだろう。眠(ねむ)っているあいだ、まったく夢を見なかった。あるいは、見たけど、起きたときに忘れたのかもしれない。どっちにしても、悪いことではない。

目が覚めたときには、窓から陽光がさしこんでいた。だが、すぐには起きあがらず、しばらくのあいだ横になったまま、これまでのできごとを整理して、頭のなかにしまいこんだ。それから服を着て、下におりた。

クロウは食堂でピンカートン社のふたりと話をしていた。クロウはなにか言い、それでふたりが立ち去ると、シャーロックのほうにやってきた。

「わたしはピンカートン社に用があって、いままでずっと忙(いそが)しくしていた。そのせいもあって、きのうの朝から、きみの姿をほとんど見ていない。マティとバージニアの話だと、きみは部屋にこもりきりだったらしいね。よほど睡眠(すいみん)不足だったんだろう」

「ええ」

「きみの手には、きのうはなかった傷がついている」

「夜のうちに浮(う)きでてきたんだと思います」

クロウはひとしきり目をこらしてシャーロックを見つめた。

「ああ、そうかもしれないね」

「それで、どうなったんです、バルササーのカナダ侵攻の話は」

「政府軍による気球攻撃は中止になった。何者かが気球に火をつけたらしい。バルササーのスパイのしわざだろうと言われている。そういうことであれば、あえて反論することもあるまい」

「少なくとも、大勢の犠牲者が出ることはないってことですね」

「そのとおりだ。陸軍長官はバルササーの軍隊との正面衝突を望んでいる。だが、バルササーの軍隊が動く気配はいっこうにない。それで、わたしの案がとりあげられることになった。ジョン・ウィルクス・ブースを使って自発的に軍隊を解散させるんだ。適切な治療をほどこし、絞首台には送らないと約束すれば、ブースはわれわれの言いなりになる。兵士たちを説得するのはそんなにむずかしいことじゃない。だれだって、本当は戦争などしたくないはずだ。家に帰れと言われたら、みんな大喜びするにちがいない」

「それで、ブースはどうなるんです」

「歴史上は、もうすでに死んだことになっている。ジョン・セント・ヘレンという名の男はボルティモアの病院へ収容される。正しい治療を受け、しかるべき薬を投与されたら、そこで生きていける」

「病院に監禁されるってことですね」

「大統領を暗殺した男だ。本当なら、それだけではすまない」

シャーロックはうなずいた。納得したわけではないが、そういったことをここで議論してもはじまらない。

「それで、ぼくたちはどうなるんです。つぎはなにをすればいいんです」

「つぎはニューヨークにもどり、イギリス行きの船の切符を買う。帰りじたくは何日もからない。本当のことを言うと、ここにこれほど長くいるつもりはなかったんだ。わたしは母国を愛している。でも、イギリスも捨てたものじゃない。ゆですぎの野菜と蒸したプディング以外はね」

「アメリカに残らないんですね」

クロウはうなずいた。

「ほかの国でしなきゃならないことが多くある。ここにはわたしのかわりになる者がいくらでもいる。でも、イギリスにはいない。わたしには自分に与えられた仕事がある。それに、きみの兄さんとの約束もあるしね。わたしはきみに論理的なものの考えや情報の使い方を教えなきゃならない。きみに教えるべきことは、まだまだたくさん残っている」

その日のうちに、四人は列車でニューヨークにもどり、クロウはイギリス行きの船の切符の手配をした。最後の夜は有名なニブロズ・ガーデンで食事をとった。料理はもちろん牡蠣と分厚いステーキ。

だが、シャーロックは食事を楽しめなかった。ただ黙々と食べただけだった。ここ数日、あまりにも多くのことがありすぎて、心のなかでなにかが燃えつきてしまったような気がしてならなかった。しばらくしてまた元にもどることができたらいいのだが。この違和感はあまり気分のいいものではない。

食事中、何度もバージニアの視線を感じた。心配してくれているのだろう。シャーロックの腕に手を置き、だがなんの反応もないので、手をはなしたことも何度かあった。

数日後、シャーロックは船の上からニューヨークの港が遠ざかっていくのを手すりごしに見ていた。日ざしはあたたかく、風もないのに、身体がぶるぶる震えている。どうも気分がすぐれないが、どうしたらいいかわからない。

横から声が聞こえた。

「それで、ニューヨークはどうだった？　用はすんだのかい」

聞き覚えのある声だ。ふりむくと、行きの船でいっしょだったアイルランド人のバイオリニスト、ルーファス・ストーンが近くの手すりに寄りかかっていた。背中にバイオリン・ケースをかけ、長い黒髪を上着のえりにたらしている。

シャーロックは驚いて言った。

「アメリカにはもっと長くいる予定じゃなかったんですか」

　ストーンはため息をついた。

「そうなんだ。このまえは言わなかったけど、故郷のアイルランドでちょっといやなことがあってね。それで、虹のかなたにある黄金の壺をさがすのも悪くないと思ったんだが、そういうわけにもいかなくなった。どうやらアイルランドから連絡がいったらしく、いやなことは向こうまで持ちこされてしまった。アイルランド人がニューヨークの犯罪組織を牛耳っているとは思いもしなかったよ」

「それで、どうなさるんです。これからどこへ行くおつもりなんですか」

「状況によるね」と、ストーンは海を見ながら言った。「ところで、きみはバイオリン教師を必要としている者を知らないだろうか」

「ええ、なぜか知っています」


（了）

本書は、二〇一二年一一月に静山社より刊行したものの児童版です。

著者　**アンドリュー・レーン**

作家であり、ジャーナリスト。そして、根っからのシャーロック・ホームズ・ファン。イギリス、ハンプシャー州在住。アーサー・コナン・ドイルの著作に対する愛情と、10代のシャーロック・ホームズを描きたいという思いから、コナン・ドイル財団の協力を得て本シリーズを執筆。世界一有名な探偵をふたたび世に送りだした。

訳者　**田村義進**（たむらよしのぶ）

文芸翻訳家。1950年、大阪市生まれ。訳書に『アンダーワールドUSA』『復讐はお好き?』『獣どもの街』（以上文藝春秋）、『最終弁護』『聞いてないとは言わせない』『メソポタミヤの殺人』（以上早川書房）など多数。

［児童版］ヤング・シャーロック・ホームズ2
赤い吸血ヒル

2024年2月20日　初版発行

作者　アンドリュー・レーン
訳者　田村義進

発行者　吉川廣通
発行元　株式会社静山社
〒102-0073 東京都千代田区九段北1-15-15
電話・営業 03-5210-7221
https://www.sayzansha.com

発売元　株式会社ほるぷ出版
〒102-0073 東京都千代田区九段北1-15-15
電話・営業 03-6261-6691
https://www.holp-pub.co.jp

カバーイラスト　禅之助
カバーデザイン　岡本歌織（next door design）
印刷・製本　中央精版印刷株式会社

ISBN 978-4-593-10469-7　Printed in Japan

十年屋
時の魔法はいかがでしょう?

廣嶋玲子 作　佐竹美保 絵

おかげさまで大好評!
魔法使いと執事猫の、心あたたまる
不思議なお店の物語

他人から見たらガラクタでも、自分にとっては絶対になくしたくない、捨てられない。そんな大切なものを、十年間、魔法で預かってくれる不思議なお店「十年屋」。魔法使いと執事猫のカラシのもとに、今日はどんなお客さんがやってくるでしょう。